「話し方のベストセラー100冊」のポイントを1冊にまとめてみた。

文道
藤吉 豊
小川真理子

日経BP

はじめに

本書は、**話し方**（会話術）**の名著「100冊」のエッセンスを1冊にまとめたものです。**

「セミナー講師、ジャーナリスト、アナウンサー、コメンテーター、プレゼンの名手や名経営者といった一流の話し手が身につけている『話し方のノウハウ』を1冊にまとめてみよう」

「あらゆるジャンルの話し方のプロが、『大切だ』と考えているコツを、重要なものから順に、身につけてもらおう」

というコンセプトに従っています。

「書き言葉」や「文章でのコミュニケーション」を扱った前著『「文章術のベストセラー100冊」のポイントを1冊にまとめてみた。』に対して、**「話し言葉」や「口頭・対面でのコミュニケーション」におけるプロが持つ共通のノウハウを洗い出し、ランキング化したのが本書です。**

本書の制作にあたって、筆者の藤《ふじ》吉《よし》豊《ゆたか》と小《お》川《がわ》真《ま》理《り》子《こ》は、話し方の名著100冊を精読しました。その結果わかったことは、独特な話術が印象的な名経営者も、多くの人に信頼され好感を持たれるビジネスパーソンも、わかりやすい解説で知られるジャーナリストも、人気を集めるYouTuberも、「話がうまい人が身につけている基本テクニックに大きな違いがない」ことです。

本書では、その共通のノウハウを、みなさんが身につけやすい形で紹介していきます。

◆ランキングの決め方

本書では、多くの会話のプロが「大切だ」と考えている共通のノウハウを集めるために、次のような手順を踏みました。

(1)「話し方」「伝え方」をテーマにした本を「100冊」購入

日常会話、ビジネス会話、雑談、プレゼンテーション、コミュニケーションのベストセラー、ロングセラーなど。選定の基準は216ページに詳述。

(2)どの本に、どのようなノウハウが書かれているかを洗い出す

本を読み込み、「これは大切」と紹介されているノウハウを見つける。

(3)共通のノウハウをリスト化する

洗い出したノウハウを「似た内容」ごとにまとめる。そのノウハウが掲載されていた本の「冊数」を数える。たとえば、

- 「会話中の視線の位置」について書いてあったのは、○冊
- 「間《ま》の取り方」について書いてあったのは、○冊
- 「雑談にふさわしいテーマ」について書いてあったのは、○冊
- 「質問のしかた」について書いてあったのは、○冊……など。

(4)ノウハウをランキング化する

ノウハウを「掲載されていた本の冊数」によって順位付けする。冊数が多いほど、重要度は高くなる。

このような手順で作成したのが、次のページのランキングです。

発表！「話し方・伝え方」大事な順

すべての人に身につけてほしい７つの基本ルール

1位 会話は「相手」を中心に

2位 「伝える順番」が
「伝わり方」を決める

3位 話し方にメリハリをつける

4位 「いい質問」で話を引き出す

5位 「鉄板ネタ」で
雑談がとぎれず盛り上がる

6位 「ほめ」は人間関係の潤滑油

7位 相手の目を見る

ランキング　ベスト40！

「話す力」「伝える力」をワンランク上げる13のポイント

8位	具体的に話す
9位	「相づち」と「うなずき」は「共感のサイン」
10位	謝罪が先。言い訳はあと
11位	話は「短い」ほうがいい
12位	笑顔で会話する
13位	叱ってもいいが、怒ってはいけない
14位	目上の人と話すときは丁寧に
15位	「かんたんな言葉」「やさしい言葉」で伝える
16位	悪口は言わない、聞かない、関わらない
17位	身振り、手振りを加える
18位	相手の話をさえぎらない
19位	要点は絞ったほうが伝わる
20位	会話もプレゼンも「導入」がキモ

信頼され、好かれるコミュニケーション20の秘訣

21位	スピーチは「準備」が9割
22位	素敵な人間関係は素敵な挨拶から
23位	練習で、誰でも話し上手・伝え上手になれる
24位	比喩、たとえ話でわかりやすくする
25位	自己開示は「自分から」
26位	「自分の都合」を押し付けない
27位	「すみません」より「ありがとう」を選ぶ
28位	語彙力と伝える力は比例する
29位	ポジティブな表現をする
30位	立場の違う人にこそ、きちんと敬意を払う

31位	緊張の克服は「準備」と「大声」
32位	姿勢で印象が変わる。声が変わる
33位	スピーチや発表にはキーワードのメモを持参
34位	相手の名前をしっかり覚える
35位	電話は「笑顔」で応対する
36位	大事なことは繰り返し伝える
37位	立つ位置、座る位置、距離で空気が変わる
38位	去り際の会話で好印象を残す
39位	断るときは、きっぱり、はっきりと
40位	「あのー」「えっと」を使わない

◆ランキングの活かし方と、本書の構成

100冊から抽出した40項目を、本書では３つに分けました。

• １～７位（➡Part １へ）

多くの著者が「大切」だと説く７つのノウハウ。相手との関係性を問わず、すべての人に必要な基本ルールが集まりました。

７つのノウハウを意識するだけで、どんな場面でも、
「自分の言いたいことをわかりやすく、正確に伝えられる」
「相手の言いたいことを正確に理解できる」
「話し相手といい関係を築ける」
ようになります。

• ８～20位（➡Part ２へ）

「１位から７位まで」を理解した上で、さらにスキルアップを図ったり、会話を洗練させていくために必要なノウハウ。

• 21～40位（➡Part ３へ）

会話のプロでもつまずいたり、意見が分かれたりするノウハウ。「20位まで」をおさえた上で取り入れてみてください。

筆者である藤吉と小川の主観は入れず、粛々と、淡々と、客観的に100冊に書かれてある共通のノウハウを抽出し、項目・要点ごとに整理して、「大事な順」に並べました。

項目ごとに完結しているため、どこから読んでいただいてもかまいません。それぞれのポイントを体系的に理解できます。

◆キーワード「共通のノウハウ」とは？

本書では前述の通り、「複数の本で紹介されている共通のノウハウやルール、コツ」に注目し、まとめ直すという作業を行いました。

たとえば、「話をするときは、相手の目を見て話す」と複数の本に書かれていたら、それは、多くのプロが認めた「共通のノウハウ」です。

◉共通のノウハウ……会話のプロ、一流の話し手の多くが身につけているノウハウのこと。

「複数の本に同じノウハウが書かれてある」のは、「それだけ大事だから」です。

100冊の中に、「１回」しか紹介されていないノウハウは、著者独自のノウハウ、あるいは、「その本の著者は大事だと思っているけれど、ほかの著者は重要視していないノウハウ」である可能性があります。

一方で、100冊中70冊に書かれてあるノウハウは、重要度が非常に高いことが明らかです。

「１回しか紹介されていないノウハウよりも、多くの本に紹介されているノウハウを先に身につけたほうが、会話は上達しやすいはずである」

「センスや才能の有無にかかわらず、この共通のノウハウを意識すれば、誰もが話す力を磨くことができる」

と、私たちは考えています。

◆本書のメリット

本書のメリットは、おもに、次の９つです。

本書の９つのメリット（得られるスキル、効果）

①緊張せずに、自信を持って話せる。
②自分の言いたいことを正確に伝えられる。
③相手の言いたいことを正確に理解できる。
④相手を問わず、会話が弾む。
⑤聞き手を不快にさせない話し方ができる。
⑥「何を話したらいいかわからない」という悩みが解消される。
⑦聞き手の感情を動かすスピーチ、プレゼンができる。
⑧人に好かれる会話術が身につく。
⑨ポータブルスキルが身につく。

⑨の「ポータブルスキル」とは、直訳すると「持ち運び可能なスキル」のことです。業種・職種の垣根を越えて、どの職場でも活用できるスキルです。

話す力は、すべてのビジネスパーソンに求められる「ポータブルスキル」です。時代や環境の変化に左右されにくく、いつ、どこで、どのような仕事をしていても役に立ちます。

話す力を伸ばすことは、自分のキャリアを伸ばすことにもつながります。

◆本書の対象者

本書は、職業・年齢・目的を限定せず、多くの人の会話力向上に役立つように構成しています。

本書で紹介するノウハウは、再現性が高く、誰にでも使いやすい（真似しやすい）と思います。

- **報告・連絡・相談・商談・プレゼンテーション・テレアポなど、業務上「話すこと」が必要なビジネスパーソン**
- **セミナー講師・学校教員・講演家・アナウンサー・司会者・解説者など、人前で話す職業の方**
- **友人・家族・親戚・同僚・上司や部下・取引先・ママ友・近所の人などとのコミュニケーションをより円滑にしたい方**
- **YouTubeなどの動画配信、Clubhouseなどの音声配信をしている（したい）方**
- **論文・レポートなどを口頭で発表する学生**
- **入学試験・就職試験の面接力を高めたい学生・就活生**

「話し方の本がたくさんあって、どれを読んでいいかわからない」
「話し方の本を買ってみたけれど、著者の個性が強すぎて、自分には真似できない」
「人前で話すのが苦手なので、会話術の基礎を学びたい」
「人前で話すのは得意なほうだけれど、もう一度、基礎を振り返りたい」
「自分の話し方は正しいのか、確認したい」

本書が、こうした悩み、願い、思いを持つ方の助力となれば、これほど嬉しいことはありません。

株式会社文道　藤吉豊／小川真理子

Contents

Part. 1

100冊の名著が教える本当に大切な「7つのルール」

ランキング **1〜7位**

1位 会話は「相手」を中心に

Point

1. 「話す」よりも「聞く」が大事
2. 相手の意見を否定しない
3. 相手が求めている話をする

1位は、「会話は『相手』を中心に」です。

話し方の名著100冊の中で70冊が、「相手（聞き手）を中心に会話をする」ことに言及していました。

「相手を中心に会話をする」とは、

- **相手の話をよく聞く**
- **相手が聞きたい話をする**

ことです。

「話題は常に相手の側《がわ》にある」
「会話では自分が優位に立とうとしない」
「相手の立場に立って話す」
「相手に合わせて臨機応変に対応を変えていく」

など、プロの多くは、相手を主役にする大切さを述べています。

会話には、必ず相手が存在します。「相手がどう思っているか」を考えず、自分の言いたいことだけを一方的に話していては、会話は成立しません。

自分本位にならない。独りよがりにならない。相手を中心に進めると、会話は弾むようになります。

◆会話のプロが指摘する「嫌われる会話」の特徴

- **相手の話を否定する**（自分の考えを押し付ける）。
- **自分の話**（相手が関心のない話）**ばかりする。**
- **上から目線でアドバイスする。**
- **相手の理解度を無視する。**

Yahoo!アカデミア学長で、武蔵野大学アントレプレナーシップ学部の学部長でもある伊《い》藤《とう》羊《よう》一《いち》さんは、著書の中で、**「『自分が相手に伝えたい』という視点**（『主観の自分』と呼びます）**しか持っていないのであれば、その話を聞いている相手の気持ちが理解できず、結果、相手に伝わらないということです」**（『1分で話せ』／SBクリエイティブ）と、相手の立場に立つことの大切さを述べています。

1 「話す」よりも「聞く」が大事

「話し上手は聞き上手」ということわざがあるように、話し上手な人は、

- **人の話を聞くこと**
- **相手が話す量を多くすること**

を心がけています。

「話す」よりも「聞く」を大切にする理由は、おもに3つです。

（1）人は「自分の話を聞いてくれる人」を好きになるから

人は「自分の話を聞いてくれる人」に好意を抱くことがわかっています。**「話を聞いてくれる人」＝「自己重要感を満たしてくれる人」**だからです。

自己重要感とは、「重要な存在であると思われたい」「自分のことを認めてほしい」という欲求のことです。

ジャーナリストの池《いけ》上《がみ》彰《あきら》さんは、話を聞く大切さを次のように述べています。

「人は自分の話を聞いてもらうと、存外うれしいものです。まして初めて会った人が自分の話を熱心に聞いてくれると、感動すら覚えたりします。自分の話を聞いてくれる相手には当然、親しみを持つし、好感度も増します」（『伝える力』／PHP研究所）

作家で心理カウンセラーの五《い》百《お》田《た》達成《たつなり》さんも、**「話を聞くだけで、誰からも好かれる」「話を聞いているだけで不思議と『あの人とは話があう』『話しやすい』、ひいては『あの人はおもしろい』とまで思われるのです」**と述べています（『話し方で損する人 得する人』／ディスカヴァー・トゥエンティワン）。

相手に興味を持って話を聞くと、「この人は自分の話を聞いてくれた」という信頼を勝ち得ることができます。

（2）自分の知識や見解が深まるから

「自分の話ばかりして、人の話を聞かない人」に、新しい情報は入ってきません。相手の話を聞くことは、自分の知識を深める機会でもあります。

では、「話す」と「聞く」の割合は、どれくらいが適切なのでしょうか。

会話のプロの意見をまとめると、

- **話す（自分の話）…2、3割**
- **聞く（相手の話）…7、8割**

がひとつの目安です。

（3）相手のニーズが把握できるから

ビジネスの現場で重要なのは、相手のニーズを把握して、それを満たす提案をすることです。

自社商品の特徴を一方的にまくし立てたところで、契約を勝ち取ることは難しいでしょう。

では、どのようにしてニーズを把握すればよいのでしょうか。

相手のニーズを把握するためには、「アクティブリスニング」を身につけて、「話すより聞く」を意識することが有効です。

◆アクティブリスニングの6つのポイント

アクティブリスニング（Active Listening）は、アメリカの臨床心理学者、カール・ロジャーズ博士が1957年に提唱した聞き方の技法です。一般的には「傾聴《けいちょう》」と訳されます。

黙って聞くよりも、

「あなたの話に関心がある」

「あなたの話を真剣に聞いている」

という姿勢を強く示すことができます。

アクティブリスニングの６つのポイント

（1）うなずく／相づちを打つ（9位で説明）

「なるほど」「いいですね」「その通りだと思います」

（2）アイコンタクトをする（7位で説明）

（3）繰り返す／オウム返し（相手の言ったことを繰り返す）

「なるほど、○○ですか」「そうですよね、○○ですよね」

（4）別の言葉に言い換える

「つまりそれは、○○ということですよね」

（5）質問をする（4位で説明）

「よくわかります。では、ここについてはどう思われますか？」
「なるほど、そうなのですね。すると、ここはどう考えればいいでしょうか？」

（6）メモをとる

ヤフー株式会社の常務執行役員を務める本《ほん》間《ま》浩《こう》輔《すけ》さんは、「1《ワン》on《オン》1《ワン》ミーティング」（上司と部下が1対1で行う対話）における代表的な技術として、アクティブリスニングを挙げています。

「アクティブリスニングで興味深いのは、多くのケースで、聞き手はオウム返しをしているだけだと実感するのに対し、話し手は、聞き手がオウム返しをしているとは感じないことです。むしろ、『じっくり話を聞いてくれた』という感想を持つことがほとんどです」（『ヤフーの1on1』／ダイヤモンド社）

2 相手の意見を否定しない

自分と相手の意見が違ったとしても、「あなたは間違っている」

「それは違う」とすぐに否定しないこと。「それは違う」と一方的に決めつけると、相手を不快にさせます。

「相手の意見を否定しない」とは、「相手の意見に迎合する」「自分の意見を捨てる」ことではありません。こちらの意向、意見を伝えることも大切です（反論のしかたについては14位でも説明）**。**

70冊の名著を参考に、「相手に不快感を与えず、こちらの意見も聞いてもらう方法」をまとめると、以下になります。

自分の意見を伝えるときの4ステップ

①相手の話をすべて聞く

↓

②その考えに至った理由を聞く

↓

③相手の意見を受け止める（相手の話を理解したことを伝える）

↓

④自分の意見を述べる（ただし断言、断定はしない）

カウンセラーの大《おお》野《の》萌《もえ》子《こ》さんも、反対意見の伝え方として、次のようなアドバイスをしています。

「まずは相手の言い分を受けとめましょう。そして、『そう思ってたんだね』といったん認めたあとで、自分の意見を返します。そういう姿勢を示せば、たとえマイナス意見でも素直に聞いてもらえる可能性が高くなるのです」（『よけいなひと言を好かれるセリフに変える言いかえ図鑑』／サンマーク出版）

×悪い例

相手「コストを削減するには、A案よりB案のほうがいいと思います」

自分「反対です。B案はありえない。B案は無理に決まっているじゃないですか。A案以外、考えられません」

○良い例

相手「コストを削減するには、A案よりもB案のほうがいいと思います」

自分「なるほど。どうしてB案がいいと思ったのか、理由を教えていただけますか？」（受け止める／理由を聞く）

相手「○○○○○○○○○○○○○○だからです」

自分「わかりました。たしかにそのような考え方もあると思います。ただ、A案の場合、実施するまでに時間がかかります。B案のほうがすぐに効果が期待できると思うのですが、いかがでしょうか？」（受け止める／自分の意見を述べる）

悪い例 は、相手の意見を真っ向から否定し、自分の意見を押し付けています。これでは、相手の反感、反発を買うだけです。

良い例 は、「あなたがそう思っていることを理解した」「あなたの言いたいこともわかる」と共感を示した上で、「ただ、私はこう思うのですが、いかがでしょうか？」と呼びかける形で自分の意見を伝えています。

反対意見を述べるときは、「しかし」でつなぐのではなく、「ただ」を使うと、否定のニュアンスが薄れて、相手の抵抗感も弱くなります。

3 相手が求めている話をする

「自分がしたい話」は、ひとまず後回し。話題選びは、「相手が聞きたい話」「相手がしたい話」を優先します。

「伝わる話し方の専門家」として活躍する桐生《きりゅう》稔《みのる》さんは、「**①相手が話したいこと　②相手が聞きたいことを話題にすると、長い時間でも雑談は盛り上がります**」（『雑談の一流、二流、三流』／明日香出版社）と述べています。

実業家でビジネス支援家の永《なが》松《まつ》茂《しげ》久《ひさ》さんも、著書の中で、「好かれる話し方のコツ」として、「相手が求める話をすること」を挙げています。
「**『お役に立ちたい』という気持ちで話すと、それは自然と相手にも伝わり、相手もあなたの言葉に真摯に耳を傾け始めます。常に心がけておくべきことは、『自分の話したいことではなく、相手の求めている話をする』ということなのです**」（『人は話し方が９割』／すばる舎）

「自分がしたい話」だけでは、会話の停滞・誤解・トラブルを招きやすくなります。自分の立場以上に、相手の立場を考えるからこそ、気持ちの良い会話が実現するのです。

2位 「伝える順番」が「伝わり方」を決める

Point

1 「結論」を最初に伝える

2 「結論→説明」の「逆三角形型」が基本

3 説得力を高めたいときは
「結論→理由→具体例→結論」の「PREP《プレップ》法」

２位は、伝わる会話の「型」についてです。

「型」とは、

- **話し始めから、話し終わりまでの組み立て**
- **最初にこれを話し、次にこれを話し、最後にこれを話すという会話の順番**

のことです。

「型」を使うメリットは、次の５つに集約できます。

◆「型」に当てはめるメリット

（1） どの内容を、どの順番で話せばいいのか迷わない。

（2） 結論（何についての話なのか）が正確に伝わる。

（3） 根拠、理由が明確になる。

（4） 論理展開が破綻《はたん》しにくい。

（5） 情報のヌケ、モレがなくなる。

会話のプロの多くが、
「何を言うかと同じくらい、どの順番で話すかが大事である」
「話す順番を変えると、伝わりやすさが変わる」
と述べています。

茶道家の塩《しお》月《つき》弥《や》栄《え》子《こ》さんは、話す順番の大切さについて、次のように述べていました。
「順序を考えずに思いつくまま話を進めてゆくと、聞き手は行先不明の旅に連れ出されたようなもの。いつ列車が脱線するかとヒヤヒヤさせられます。話し手はまず前もってきちんと話の流れを自覚しておくこと」（『上品な話し方』／光文社）

また、『「言葉にできる」は武器になる。』（日本経済新聞出版）の著者、梅《うめ》田《だ》悟《さと》司《し》さんは、**「型を知ることは、自分の言葉を磨く道のりを最短距離にすることを可能にする」**と型の重要性を指摘しています。

会話のプロの多くが使っている型を２つ紹介します。

会話のプロが使っている２つの型

（1）逆三角形型……「結論➡説明」

結論を先に述べる。

（2）PREP《プレップ》法……「結論➡理由➡具体例➡結論」

結論を述べたあと、結論に至った理由と具体例を述べる。最後にもう一度、結論を強調する。

1 「結論」を最初に伝える

逆三角形型もPREP法も、「結論を最初に述べる型」です。

結論とは、**「自分が一番伝えたいこと」「相手が一番知りたいこと」**です。

結論を先に伝えると、**聞き手は話の目的、主題**（何の話をしているのか）**がわかった上で話を聞くため、理解度が高まります。**

結論を最初に伝えるメリットは、おもに次の６つです。

◆結論を最初に伝える６つのメリット

（1）「何について話すのか」（話題）**が明確に伝わる。**

（2）「話し手がもっとも伝えたいこと」「聞き手がもっとも知りたいこと」が正確に伝わる。

（3）途中で話をさえぎられても（途中で時間切れになっても）**、要点を伝え残すことがない。**

（4）「一番大事な情報」を先に話せばいいので、「最初に何を話せばいいのか」（会話の導入）**で悩まない。**

（5）聞き手の関心が高まるので、話に引き込むことができる（最後まで聞いてもらえる）**。**

（6）短い時間で、必要な情報を伝えることができる。

社会心理学者の渋《しぶ》谷《や》昌三《しょうぞう》さんは、著書の中で、「結論から切り出して、興味をそそる」テクニックを紹介しています。

「『じつはワタシ……好きな人ができちゃったみたい』などと最初に結論を持ってくると、聞き手は、『えーっ!?　どういう人？　い

つ、どこで知り合ったの？』と一発で食いついてくるに違いありません」（『人を傷つける話し方、人に喜ばれる話し方』／ワック）

2 「結論→説明」の「逆三角形型」が基本

逆三角形型は、結論を先に伝え、次に結論に至った経緯、理由、根拠、補足事項を説明する型です。

話を進めるほど重要度が低くなるため、「逆三角形型」と呼ばれています。

×悪い例 **説明➡結論**

聞き手「来週の月曜日に、懇親会を開催します。参加していただけますか？」

話し手「前回の懇親会は大変盛り上がったそうですね。来週の月曜日ですか？　来週の月曜日は午前中に社内の会議があり、午後は取引先との商談です。午後５時には社に戻りますが、その後も翌日の仕事の準備があります。その日は終日、予定が決まっているため、懇親会に参加できません。次の機会にはぜひ、参加させてください」

○良い例 **結論➡説明**

聞き手「来週の月曜日に、懇親会を開催します。参加していただけますか？」

話し手「残念なことに、参加できないんです。来週の月曜日は、終日、予定が決まっていまして……。次の機会にはぜひ、参加させてください」

聞き手（質問者）が一番知りたいのは、懇親会の出欠です。

悪い例 は、結論より先に理由を延々と述べています。前置きが長く、なかなか結論が出ない話に対して、聞き手は苛立《いらだ》ちを覚えます。

一方、**良い例** は、懇親会の出欠を最初に明らかにしているため、**聞き手にストレスを与えません。**また、参加を断るにあたって、「残念なことに」というクッション言葉（メッセージを柔らかく伝える言葉。14位で説明）を添えているため、**相手への配慮を示すことができます。**

経営コンサルタントの白《しら》潟《がた》敏《とし》朗《ろう》さんは、著書『仕事の「５力」』（中経出版）の中で、**「ビジネスの会話では『結論からいう』ほうが明快でわかりやすいので、圧倒的にメリットは多いんですよ。ですから『結論からいうと、なぜならば』をくちグセにしましょう！」**とアドバイスしています。

3 説得力を高めたいときは「結論→理由→具体例→結論」の「PREP《プレップ》法」

PREP法は、プレゼンテーション、報告、スピーチ、面接など、ビジネスシーンで用いられる手法です。逆三角形型と同様に、最初に結論を伝えます。

PREP法を使うと、話の展開が論理的になります。「論理的」とは、誰もが納得できるように、事実を積み上げることです。

PREP法の4つの要素

PREPとは、「Point・Reason・Example・Point」の略。

- **P（Point）＝ポイント、結論**
  「○○○○の結論は、○○○○です」

- **R（Reason）＝理由**
  「なぜならば、○○○○だからです」

- **E（Example）＝事例、具体例**
  「実際に、○○○○といった事例がありました」

- **P（Point）＝ポイント、結論、まとめ**
  「○○○○の結論は、○○○○になります」

逆三角形型の「説明」の部分を「理由」（根拠、裏付け）と「具体例」（実際に何があったか）に分けて提示し、最後にもう一度、「結論」で締めくくります。

◉逆三角形型……「結論→説明（→補足）」
◉PREP法………「結論→説明（理由→具体例）→結論」

PREP法は、「結論を２度伝える」ため、逆三角形型よりも説得力が生まれます。

例文

● 結論

今日は、貯金の必要性についてお話ししたいと思います。私は、「貯金をしたほうがいい」と考えています。

● 理由

理由は、３つあります。１番目の理由は、急な出費に対応できること。２番目の理由は、保険や投資と違ってすぐに始められること。３番目の理由は、将来的な出費の備えになることです。

● 具体例

新型コロナウイルス感染拡大の影響を受けて、仕事が減ってしまった方が増えています。私も、そのひとりでした。ですが私の場合、月収の３カ月分の貯金があったため、急に収入が途絶えてもうろたえず、次のアクションを起こすことができたのです。

先行きが見通せず、国の支援もままならない中、貯金の大切さを実感しています。

● 結論

急な出費に備えるという意味でも、貯金はしたほうがいいと思います。月収の３カ月分程度の貯金があれば、ゆとりを持って生活できるのではないでしょうか。

「最後にもう一度、結論や主張を伝えます。説明の冒頭で、すでに結論や主張を伝えているので、不要だと考える人もいるかもしれません。しかし、結論以降の根拠や補足情報の説明が長くなればなるほど、聞いている側は話の出口を見失いがちです」（田《た》中《なか》耕《たが》比《ひ》古《こ》『一番伝わる説明の順番』／フォレスト出版）

「具体例、体験で終わりとせずに、もう一度しっかり主張ポイントを繰り返す。これは、セールストークでも同じで、本当に言いたいポイントはダメ押しするくらいでいい」（箱《はこ》田《だ》忠《ただ》昭《あき》『「できる人」の話し方＆コミュニケーション術』／フォレスト出版）

PREP法で伝えると、聞き手の理解・納得をうながすことができるため、**依頼や提案を受け入れてもらいやすくなります。**

3位 話し方にメリハリをつける

Point

1. 声の大きさ、高さに変化をつける
2. 人前では、ゆっくり話す
3. 「間」を意識する
4. 語尾をはっきり発音する

３位は、「話し方にメリハリをつける」です。

「メリハリをつける」とは、**発声、発音、会話のスピードに変化をつけること**です。

名著の多くが、「メリハリをつけたほうが相手に伝わりやすい」と述べていました（100冊中36冊）。

スピーチやプレゼンテーション、会議などで原稿を読み上げようとすると、読むことに集中してしまい、棒読みになりがちです。抑《よく》揚《よう》のない話し方は、相手の耳に残らなくなるだけでなく、印象も悪くなります。

場面に応じて声の出し方を変えると、大事な言葉やフレーズが聞き取りやすくなります。

会話のプロの多くが、「同じ言葉でも、声の出し方が変わると、聞き取りやすさも変わる」と指摘しています。

「興奮を高めたければ、話すスピードを徐々に速め、文章を短く

切ります。ドラマチックな演出をしたければ、声の高さに変化をつけ、話すリズムを変えたり抑揚をつけたりしてみましょう」（ジェレミー・ドノバン『TEDトーク 世界最高のプレゼン術』／新潮社）

古代ローマ最高の弁論家（大勢の前で、意見を述べる人）キケローは、著書『弁論家について』（岩波書店）の中で、弁論家と弁論の素人《しろうと》の違いのひとつに、リズムを挙げています。

「弁論の素人の場合には、（略）**息が続くかどうかによって語る範囲が決められるのに対して、弁論家の場合には、**（略）**ある種のリズムを伴って語られるようにする、という点なのである」**

「話し方にメリハリ、リズムをつける」ときのポイントは、

- **発声**（強弱、高低）
- **スピード**
- **間**
- **語尾**

の４つに変化をつけることです。

1 声の大きさ、高さに変化をつける

◆声の「大きさ」に変化をつける（強弱、ボリューム）

アップルの創業者で、プレゼンの名手としても知られたスティーブ・ジョブズは、声の大きさをたくみに調整していたといいます。

「ジョブズは話を盛り上げるため、声の大きさも調整する。（略）**よく用いるパターンは、クライマックスに向けて盛り上げる段階**

では声を小さくし、最後に大きな声でドンと発表するというものだ」（カーマイン・ガロ『スティーブ・ジョブズ 驚異のプレゼン』／日経BP）

聞き手に意識してほしい部分は、声を大きくします。どの言葉を大きくするかで、伝えたいメッセージも変わります。

例文

「明日、御社の虎ノ門支店に私がうかがいます」

……強弱をつけず、どの言葉も同じ大きさで話すと、キーワード（一番伝えたいメッセージ）が印象に残りにくい

- 人物を強調

➡「明日、御社の虎ノ門支店に私がうかがいます」

……うかがうのが「誰」かが伝わる。

- 日時を強調

➡「明日、御社の虎ノ門支店に私がうかがいます」

……「いつ」うかがうかが伝わる。

- 場所を強調

➡「明日、御社の虎ノ門支店に私がうかがいます」

……「どこ」にうかがうかが伝わる。

◆声の「高さ」に変化をつける（高低、トーン）

声の高さを変えると、相手に与える印象が変わります。

- **高い声……明るさ、元気さ、若々しさ**
- **低い声……慎重さ、落ち着き、信頼感**

一般的に、「好印象を与える声の高さ」「相手に心地よく聞こえる声の高さ」は「ド・レ・ミ・ファ・ソ・ラ・シ・ド」の「ファ」か「ソ」の音だといわれています。
「ファ」と「ソ」は、社交性のある音程ともいわれ、相手との関係を縮めるのに役立ちます。

コンサルタントで作家の安《やす》田《だ》正《ただし》さんは、**「気軽なコミュニケーションでは声は高く、が鉄則」**とした上で、次のように述べています。
「『ドレミファソラシド』と音階を口ずさんでみてください。そのうち、ちょうどいい声の高さの目安は、『ファ』か『ソ』の音です。正しい音階ではなく、あくまでも『自分の中のドレミ』で結構です」(『超一流の雑談力』/文響社)

2 人前では、ゆっくり話す

プレゼンテーション、ミーティング、発表会など、人前で話す場面では、「ゆっくり話す」ことを心がけましょう。人前で話すことに慣れていない人は、早口になりがちです。
早口で話すと、「落ち着きがない」「何を言っているかわからない」など、聞き手にマイナスのイメージを与えます。
一方、**ゆったりした口調でわかりやすく話す人は、相手からの信頼を得やすくなります。**

ジャーナリストの池上彰さんは、**「相当な早口」**を自認しながら、テレビに出演するときは、意識してゆっくり話しているそうです。

その理由を次のように述べています。

「小学校高学年から八〇代の人までわかるように話そうと思っているからです。語彙《ごい》の少ない子どもや聴力の低下している高齢者は、早口だと、聞き取れないこともあります」（『伝える力２』／PHP研究所）

では、「ゆっくり話す」とは、具体的にどれくらいのスピードでしょうか。「聞きやすいスピードの目安」は、

「１分間に300文字程度」

が会話のプロの共通意見でした。

次の例文を声に出して読んだとき、１分を大幅に切るときは早すぎ、大幅に超えるときは遅すぎです。

「１分間に300文字程度」の例文

「昭和の文章術の本と令和の文章術の本には、共通点もあれば、まったく違う点もありました。

最新の本では、明確に書くことが良いとされている一方、歴史ある本では、あいまいさが重視されていました。

文章について幅広く学びたい場合は、古いものから新しいものまで読んでいくと、日本人の表現方法の変遷を見ることができます。

今はブログの文章を読む際、スマホを利用している人が多いです。スマホは画面が小さいので、改行を多くしたほうが読みやすい、と最近の文章術の本は書いています」

（参照：藤吉豊　小川真理子『「文章術のベストセラー100冊」のポイントを１冊にまとめてみた。』／日経BP）

3 「間」を意識する

間（数秒間の短い沈黙）には、聞き手の関心を引きつける効果があります。

◆間を取るメリット

- **大切なことを強調できる。**
- **話の展開を知らせる。**
- **聞き手の記憶に残りやすい。**
- **聞き手の集中力が途切れにくい。**
- **耳を傾けてもらいやすい。**

「大切なことは、それを話す直前に『間』を作ることだ。（略）**『間』は場の空気を引き締める。一瞬の静寂。タメを作って、部屋中の集中力を高めてから、発言するのだ」**（杉《すぎ》村《むら》太《た》郎《ろう》　熊《くま》谷《がい》智《とも》宏《ひろ》『絶対内定2020 面接』／ダイヤモンド社）

「急な沈黙は、急に声をあげるのと同じように、聞き手の注意を引きつける効果があります。聞き手ははっとして、警戒し、次の言葉をじっと待つことになります」（D・カーネギー『話す力』／新潮社）

覚えておきたい間の取り方は、次の４つです（秒数は目安）。

間を取るタイミング

（1）伝えたい情報や大事な話の前後（0.5〜１秒程度）

「東京都は今日、新型コロナウイルスについて、…（0.5〜１秒）…1915人の感染を発表しました…（0.5〜１秒）…」

（2）質問したあと（0.5〜１秒程度）

「みなさんは、どう思われますか？…（0.5〜１秒）…私は、こう思います」

（3）理由や根拠を説明する前（0.5〜１秒程度）

「私は、こう思います。…（0.5〜１秒）…なぜなら○○○○だからです」

（4）話がひと区切りついたあと（３秒程度）

「以上がAについての説明です。………（３秒）………続いて、Bについて説明します」

4 語尾をはっきり発音する

語尾が消える話し方は「自信がなさそう」「頼りなさそう」に聞こえます。語尾が聞き取りにくいと、それだけで悪いイメージを与えてしまいます。

「たとえば、『おはようございます』と挨《あい》拶《さつ》するとき、『おはようございま……』あたりまでしか聞こえない声でやる人がいるが、大変にイメージが悪い。せっかく挨拶するのなら、最後までしっか

りとやるべきだ」（内《ない》藤《とう》誼《よし》人《ひと》『「人たらし」のブラック心理術』／大和書房）

日本語は、語尾で肯定文か否定文かが決まります。語尾が不明瞭で聞き取りにくいと、肯定と否定の区別がつきません。

×悪い例

「今月は売上目標を達成しま……」

例文では語尾が消えているため、目標を達成したのか、しなかったのかがわかりません。言葉の最後まで話すことで、聞き手はしっかりと理解できます。

ただし、語尾を意識するあまり、
「よろしくお願いしま～す」
「それ本当～～？」
と伸ばしたり、語尾を上げたりすると、聞き手に稚《ち》拙《せつ》な印象を与えます。
「よろしくお願いします」
「本当ですか？」
と一語一語、丁寧に発音しましょう。

4位 「いい質問」で話を引き出す

Point

1 「クローズドクエスチョン」で事実を確認

2 「オープンクエスチョン」で話を広げる

3 質問は「具体的」に

4位は、「『いい質問』で話を引き出す」です。

「会話には質問が欠かせない」

「上手に質問すれば、相手はどんどんしゃべり出す」

など、プロの多くが「質問力」の必要性に触れていました。

質問のおもな効果

- 「あなたに関心がある」という姿勢を示すことができる。
- 疑問点、不明点が明らかになる。
- 内容の確認ができる。
- 相手に気持ちよく話してもらえる。
- 相手の話を「広げる」「進める」「深める」ことができる。

広げる…「ほかに、どのようなことをされていますか？」

進める…「それで、どうなったのですか？」

「それから、何があったのですか？」

深める…「どうして、そう思ったのですか？」

「なぜ、そうしたのですか？」

1位の1つ目のポイントとして紹介した「『話す』よりも『聞く』が大事」の「聞く」には、2つの意味が含まれています。

◉聞くの「2つ」の意味
①話を耳に入れる……耳を傾ける。相手の話をよく聞く。
②相手の話を引き出す……質問をして、こちらの聞きたいこと、相手の話したいことを引き出す。

会話のプロの多くは、上手に質問をして、相手から話題を引き出しています。

「聞き上手というのは、相手が話したいであろうことを、こちらから上手に質問して、相手にしゃべらせてあげる。これがほんとうの聞き上手、質問の名人です」(加《か》賀《が》田《た》晃《あきら》『営業マンは「お願い」するな!』/サンマーク出版)

1 「クローズドクエスチョン」で事実を確認

質問形式は、大きく2つに分けられます。
クローズドクエスチョンと、オープンクエスチョンです。

◉クローズドクエスチョン
……クローズドとは「閉ざされている」こと。「はい」と「いいえ」の2択の質問や、あらかじめ回答の選択肢が決められた質問。

例文

- 「映画は好きですか？」
- 「御社が使っているシステムは、A、B、Cのどれですか？」

これらの例文は、「はい／いいえ」「Aです／Bです／Cです」という、限られた選択肢で回答することができるクローズドクエスチョンです。

クローズドクエスチョンのメリットとデメリット

メリット	●相手の考えや事実を明確にできる。 ●回答をすばやく得ることができる。 ●相手が答えやすい。
デメリット	●会話が広がりにくい。 ●多用すると、相手は尋問されているように感じる。 ●相手は提示された選択肢の中から回答するので、新しい発想が生まれにくい。

商談や会議の「最後」にクローズドクエスチョンを用いると、行き違いがなくなります。

例文

質問「納品するのは、商品Aを100個ですね？」
回答「はい」

2 「オープンクエスチョン」で話を広げる

オープンクエスチョンは、「はい」「いいえ」などの選択肢がなく、相手が自由に答える質問です。

◉オープンクエスチョン
……オープンとは、「開かれている」こと。相手の返答に制限を設けず、自由な回答を引き出す。

例文

質問「映画『○○○○』のどのシーンが印象に残っていますか？」
回答「主人公が真実を告白するシーンです」
質問「たしかに、あのシーンはよかったですね。結末についてはどう思われましたか？」
回答「意外でした。いろいろな解釈ができますよね」
質問「どのように解釈されましたか？」

オープンクエスチョンを使うと、相手の気持ちや考えを具体的に知ることができます。相手から「より多くの情報」を引き出したい場面で有効です。

オープンクエスチョンのメリットとデメリット

メリット	●会話が広がりやすい。 ●たくさんの情報が得られる。 ●相手への理解が深まる。 ●相手が自由に考えて発言するので、新しい発想が生まれやすい。
デメリット	●最初の質問に用いると、相手が言葉に詰まることがある。 ●どんな回答が返ってくるかわからないため、質問者のスキルが問われる。 ●答えが返ってくるまでに時間がかかる。 ●難しい質問をした場合、回答者が返答に詰まってしまう（会話の流れがストップする）。

オープンクエスチョンでは**「5W1H」を頭に置いて質問をする**のが基本です。

「5W1H」を活用したオープンクエスチョンのつくり方

● When（いつ）

「いつから新事業をスタートするご予定ですか？」

● Where（どこ）

「どこに営業をかけるのですか？」

● Who（誰）

「誰とチームを組めば、業績が上がると思いますか？」

● What（何）

「その仕事の課題は何ですか？」

- Why（なぜ）

「なぜ、うまくいかなかったのでしょうか？」

- How（どうやって）

「どうやって問題を解決しますか？」

「伝説の家庭教師」と呼ばれるエグゼクティブ・スピーチコーチの岡《おか》本《もと》純《じゅん》子《こ》さんは、「Which（どちら）」を加えた「6W1H」で質問をすると、会話が弾みやすいと述べています。

「雑談に悩む社長に、私は『ど』の質問力を極めることをアドバイスしています。（略）『6W1H』（What、Who、When、Where、Why、Which、How）で始まる質問は、すべて、『オープンクエスチョン』で、どれも『ど』から始まる言葉に置き換えられます」（『世界最高の話し方』／東洋経済新報社）

- What……**ど**う、**ど**んな
- Who……**ど**の人、**ど**んな人、**ど**なた
- When……**ど**んなとき、**ど**のタイミングで
- Where……**ど**こに、**ど**こで
- Why……**ど**うして
- Which……**ど**れ、どちら
- How……**ど**う、**ど**うやって、**ど**うしたら、**ど**のように

◆クローズドクエスチョンとオープンクエスチョンの使い分け

「クローズドクエスチョン→オープンクエスチョン」の順番で質問をすると、相手は回答しやすくなります。

例文1

質問「映画は好きですか？」（クローズド）

回答「はい」

質問「どんな映画が好きですか？」（オープン）

回答「アクション映画です」

質問「どうしてアクション映画が好きなのですか？」（オープン）

回答「何と言っても、気持ちがスカッとするからです」

例文2

質問「ビールは好きですか？」（クローズド）

回答「はい」

質問「おすすめのビールはありますか？」（オープン）

回答「○○○がおいしいですよ」

3 質問は「具体的」に

オープンクエスチョンは、「回答者に自由に考えてもらう」質問なので、会話が弾みます。

ですが一方で、深く考えないと答えられない質問が続くと、会話が止まるリスクがあります。

「会話がつながらないとき」「相手からの回答が遅くなったとき」「相手の回答があいまいなとき」は、**質問の内容を「具体的」にすると、回答者は答えやすくなります。**

例文1

「最近の自動車について、どう思いますか？」

↓（具体的に）

「自動運転技術について、どう思いますか？」

例文2

「最近、どう？」

↓（具体的に）

「今はどんな仕事をしているの？」

例文3

「納期のご希望はありますか？　候補を教えてください」

↓（具体的に）

「納期のご相談をさせてください。次の3つのうち、都合のいい日はございますか？」

5位「鉄板ネタ」で雑談がとぎれず盛り上がる

Point

1 「12」のテーマで雑談が自然と盛り上がる

2 雑談にはふさわしくないNGネタに要注意

５位は、「『鉄板ネタ』で雑談がとぎれず盛り上がる」です。

雑談のネタや会話のテーマについて言及していたのは、100冊中、33冊ありました。会話のプロたちは、**「プライベートでも、ビジネスでも、雑談は必要」**と述べています。

◆雑談のおもな効果

- **会話の入口となる。**
- **相手に興味を持っていることを示す。**
- **初対面の緊張感を解く。**
- **知識を得る。**

人間関係を築く上で、雑談は大切です。しかし、

「何を話したらいいかわからない」

「途中で話すネタに詰まってしまう」

「話すことに自信がなく、おもしろい話ができない」

「初対面の人と会うと、緊張して話ができない」

など、雑談に苦手意識を持つ人も多いようです。

ではどうすれば、雑談力は向上するのでしょうか。

会話のプロが紹介していた「ネタ選び」のポイントをまとめると、次の5つになります。

ネタ選びの5つのポイント

①相手が答えに困らないネタを選ぶ。
②相手が興味を持っているネタを選ぶ。
③相手が「そう、そう」「ある、ある」と共感してくれるネタを選ぶ。
④誰にでも共通しているネタ（身近なネタ）を選ぶ。
⑤あたりさわりのないテーマを選ぶ。

1 「12」のテーマで雑談が自然と盛り上がる

話し方の名著の中で紹介されていた「誰にでも使える（誰とでも話せる）話題」をまとめると、以下の12個が挙げられます（雑談をこちらから切り出すときは、4位で取り上げた「質問」の形式になることが多い）。

誰にでも使える雑談テーマ

● 食べ物
「おすすめのレストランがあったら、教えていただけますか？」
「いつもお忙しそうですね。お昼を食べる時間はあるのですか？」
「この近辺だと、○○○というお店が有名だと聞いたのですが、ご存知でしたか？」

● 出身地、地域

「○○○さんのご出身はどちらですか？　私は○○○○出身なのですが……」

「こちらに引っ越す前は、どちらにお住まいだったのですか？」

※個人情報の観点から、具体的な住所は聞かない。

● 旅行

「最近、旅行に行かれましたか？」

「先日、○○○○にドライブに行ってきたんです。行かれたことはありますか？」

● 天気、季節

「今日は昨日に比べると、ずいぶん暖かいですね」

「私は花粉症なんです。○○○さんは大丈夫ですか？」

● スポーツ

「私はよくゴルフに行きます。○○○さんはゴルフをされますか？」

「何か、スポーツをされていたのですか？」

● ペット

「インスタグラムを拝見しました。猫を飼っていらっしゃるのですね？」

「犬を飼ってみたいんですけど、○○○さんは、何かペットは飼われていますか？」

● 仕事

「現在の役職について教えていただけますか？」

「最近、朝早く出社されているようですね。どんな仕事をされているのですか？」

● 健康

「新型コロナウイルスの感染者数が、少しずつ減ってきましたね」

「その後、おケガの具合はいかがですか？」

● 身につけているもの、使っているもの

「その時計、〇〇〇さんの雰囲気に合っていますね。何というブランドの時計ですか？」

「素敵なスーツですね。どちらで買われたんですか？」

「普段からよく使っているスマホアプリがあれば、教えていただけますか？」

● 最近のニュース

「今朝こんなニュースがありましたね」

「最近は〇〇がとても流行っているみたいですね」

● 最近の自分のこと／最近の相手のこと

「最近、〇〇〇を始めたんです。〇〇〇さんは、最近ハマっているものとか、ありますか？」

● エンターテインメント

「おすすめの本（映画、音楽、動画、テレビ番組）があったら、教えていただけますか？」

すぐに使える話題・テーマの頭文字を「語呂合わせ」にして紹介している本もありました。

「話題が見つからないことがあるが、そんなときのために、『ゴウカク・テスト』を頭に入れておくといい」（『できる大人のモノの言い方大全』／青春出版社）

ゴ……ゴルフ
ウ……歌
カ……家族
ク……クニ（出身地）
テ……天気
ス……スポーツ
ト……友だち

「合言葉は『たちつてと、なかにはいれ』」（福《ふく》田《だ》健《たけし》『人は「話し方」で９割変わる』／経済界）

た……食べ物、飲み物、旅の話
ち……地域、地元の話
つ……通勤に関連した話
て……天気、天候について
と……富、景気、経済
な……名前、地名に関して
か……体、健康の話
に……ニュース、トピックス
は……はやり、流行、トレンド
い……異性、男女の話題
れ……レジャー、余暇、休日

「『きどにたちかけせし衣食住』なんて言葉もあります。気候、道楽、ニュース、旅、知人、家族、健康、性、仕事、衣類、食、住まいに関する話題を出しておけば、話の継ぎ穂に困ることはないという先人の知恵です」（吉《よし》田《だ》尚《ひさ》記《のり》『なぜ、この人と話をすると楽になるのか』／太田出版）

※「せ」を抜き「木戸に立ちかけし衣食住」とする場合もある。

2 雑談にはふさわしくないNGネタに要注意

雑談にふさわしい「鉄板ネタ」がある一方で、「避けたほうがいいネタ」「相手（聞き手）を不快にしかねない話題」「相手を選ぶネタ」もあります。

名著の中から、「避けたほうが無難な話題」をピックアップします。

◆避けたほうがいい雑談テーマ

・意見が分かれやすい話題

政治、宗教、好きなスポーツチームなど。政治や宗教など、個人の思想が深く関わるテーマは避けます。思想は人それぞれで、自分と相手が同じ考えとは限りません。

スポーツネタは「鉄板ネタ」ではありますが、特定のチームの称賛、あるいは否定はしないこと。

自分と相手が共通のチームを応援していることが明らかならば別ですが、そうでないなら、避けたほうが無難です。敵対するチームを応援していると知っただけで、不快になる人もいます。

・下ネタ

下ネタは相手を選びます。相手の許容範囲を超えた下ネタは、場を不快にさせるだけです。

小説家の百《ひゃく》田《た》尚《なお》樹《き》さんも、著書の中で、「**下ネタはあまり好きではない**」と述べています。

「男女関係なく興味を持つ話題は、やはり性の話題です。とはいってもこれはレベルが難しい。下ネタを嫌う人はどこにでもいるからです」（『雑談力』／PHP研究所）

• 容姿、年齢

相手にとってはほめ言葉にならないことがあります。

「年齢よりも若く見えますね」

とほめたつもりでも、相手は「幼く見える」ことを気にしているかもしれません。

「背が高くてスタイルがいいですね」

とほめたつもりでも、相手は「背が高いこと」を気にしているかもしれません。

コンプレックスは誰にでもあるものです。こちらから見たら魅力でも、相手はコンプレックスを抱いていることがあります。

• 悪口、人の噂

悪口はひとり歩きしやすいので、

「○○さんが、こんなことを言っていましたよ」

と、当人の耳に入る可能性があります。また、悪口ばかりの人は、周囲の信頼を得にくくなります。

• 自慢話

自慢話は、相手に嫌な印象しか与えません。

「いかに自慢が周囲を不愉快にするかを知る必要がある。自分はあっけらかんと自慢しているのだろうが、それでは他者と関係を結べない」（樋《ひ》口《ぐち》裕《ゆう》一《いち》『頭がいい人、悪い人の話し方』／PHP研究所）

『話し方のマナーとコツ』（学研）の監修者、杉《すぎ》山《やま》美《み》奈《な》子《こ》さんは、**「自慢話はさらりとひとことで終らせるか、ユーモアを交える。『この前懸賞でハワイ旅行が当たったんだ！　今年の運を使い果たしち**

ゃったかも』など相手が不快にならない程度に」とアドバイスをしています。

• お金に関する話

年収、貯金など、お金の話は、親しい友人との間でも気をつけたほうがいい話題です。

収入が多ければ嫉妬《しっと》や誤解などが生まれ、少なければ見下されることもあります。

• 家族、家庭環境

「ゴウカク・テスト」や「木戸に立ちかけ（せ）し衣食住」では、「家族」を雑談のキーワードとして挙げています。ですが一方で、家族や家庭環境については質問しないほうがいい、という意見もありました。

聞き手の中には、離婚している、別居している、配偶者と死別している、子どもができない、など家庭環境に悩みを抱えている人もいるからです。

家族、家庭環境はデリケートな問題が多いので、初対面の人とはしないほうが得策です。

6位

「ほめ」は人間関係の潤滑油

Point

1 「ほめ＋理由」で具体的にほめる

2 結果だけでなく、「プロセス」もほめる

3 「人前」でほめる

4 「なんでもほめればいい」わけではない

６位は、「『ほめ』は人間関係の潤滑油」です。

100冊中32冊に、「ほめることの大切さ」や「正しいほめ方」が掲載されていました。

話し方の名著に紹介されていた「『ほめ』の効果」をまとめると、以下になります。

◆ほめのおもな効果

- **相手のやる気を引き出す。**
- **相手の成長をうながす。**
- **自分の意見を聞いてもらいやすくなる。**
- **相手をほめると、自分も元気になる。**

ともに精神科医の斎藤《さいとう》茂太《しげた》さんとゆうきゆうさんは、「ほめ」の効果について次のように述べています。

「誰だってほめられてイヤな人間はいない。それどころか、ほめ

られているうちに自信がよみがえり、その自信が新たなやる気を引き起こしていくものなのだ」（斎藤茂太『いい言葉は、いい人生をつくる』／成美堂出版）

「ほめるのは、プレゼントをあげるのと同じ。相手も喜び、自分の気持ちも前向きになってくるはずです」（ゆうきゆう『マンガ版 ちょっとだけ・こっそり・素早く「言い返す」技術』／三笠書房）

1 「ほめ＋理由」で具体的にほめる

「効果的なほめ方」として、会話のプロの多くは、
「理由をつけて、具体的にほめる」
ことを挙げています。

「すごい！」「カッコいい！」といった感想だけでは、お世辞やおだてに聞こえる可能性があります。

「褒めるとき、感謝するときはできるだけ具体的に伝えるべきです。『あのときのあなたの発言は、的確でした。おかげでその後の司会進行がスムーズになりました』（略）といった形です」（河《こう》野《の》英《えい》太《た》郎《ろう》『99%の人がしていないたった1%の仕事のコツ』／ディスカヴァー・トゥエンティワン）

「ほめるだけでオワリ、とせずに、ほめたなら必ずその理由、なぜほめたのかを一言加えるのである」（箱田忠昭『「できる人」の話し方&コミュニケーション術』／フォレスト出版）

理由をつけて具体的にほめると、ほめられた相手は、

- **自分の良い部分を客観的に把握できる**
- **「適当なことを言っている」と思わない**
- **細かいところまで見てくれたことに嬉しさを感じる**

ようになります。

「すごいですね」「上手ですね」「さすがですね」「よかったですね」「ステキですね」とひと言で済ませない。前後に「ほめた理由」を加えると、相手の承認欲求を満たすことができます。

◉承認欲求

……「他者に自分の存在を認めてもらいたい」「自分を価値ある存在として認めたい」という自然な欲求。子どもから大人まで、誰もが持っている。

例文 1

「最近、すごくがんばっているよね」

↓（ほめ＋理由）

「最近、すごくがんばっているよね。先月に比べると、10件も契約数が増えているし。お客様訪問の回数を増やした成果が出たね」

例文2

「このプレゼン資料、よくできていますね」

↓（ほめ＋理由）

「このプレゼン資料、図やグラフが効果的に使われていて、よくできていますね。売上、利益の推移、シェアが一目瞭然で、説得力があります」

2 結果だけでなく、「プロセス」もほめる

会話のプロの多くが、ビジネスにおいても子育てにおいても、
「プロセス（過程や結果につながる行動）をほめることが重要」
「結果だけでなく、プロセスを認めることが大切」
と指摘しています。

「結果や目に見えるものばかりに言葉が集中しすぎてしまうと、せっかくほめていても、子どもの気持ちにそぐわないことになります」（小《こ》﨑《ざき》恭《やす》弘《ひろ》『男の子の本当に響く叱り方ほめ方』／すばる舎）

「良好な人間関係は、相手のいいところや頑張ったプロセスを『認める』ところからはじまります。好かれる人は、その好循環を作り出しています」（大野萌子『よけいなひと言を好かれるセリフに変える言いかえ図鑑』／サンマーク出版）

ビジネス（部下の育成）や育児では、結果よりもプロセスをほめた

ほうが、相手は意欲的になります。

努力やプロセスをほめられた相手は、「行動したこと」そのものを肯定されたと感じて、失敗を恐れずに挑戦を続けます。

一方、結果だけをほめ続けると、
「確実に結果を残せることしかやらない」
「新しいこと、難しいことには挑戦しない」
という、消極性につながることが考えられます。

部下や子どものほめ方は、結果が出ていても、出ていなくても変わりません。

いずれも、プロセスに目を向ければ、相手をほめることができます。

例1 子どもがテストで100点を取ったとき

- **悪いほめ方……結果だけほめる**

「テストで100点を取ったんだ！　すごいね！」

- **良いほめ方……プロセスをほめる**

「テストで100点を取ったんだ！　大好きなゲームをガマンして勉強していた結果だね」

例2 部下の売上目標が未達だったとき

- **良いほめ方……プロセスをほめる**

「未達は残念だけど、あのアプローチのしかたは効果があると思う。来月は、○○○を意識してやってみよう」

3 「人前」でほめる

1対1でほめるより、たくさんの人の前でほめたほうが一段と効果的です。

たとえば朝礼や会議の場で、

「お客様は、Aさんのプレゼンテーションを高く評価していました」

とほめる。するとAさんは誇らしく思い、他の社員は「自分もほめてもらえるように、頑張ろう」という気持ちになります。

著作家、講演家の星渉《ほしわたる》さんは、**「褒める時は大勢の前で褒めて、その後で個別に褒める」**ことをすすめています。「自分は本当にいいことをしたんだ」と実感できるからです。

「『大勢の前で褒める』ことは、周りに『この人は褒めるに値する価値のある人ですよ』と発表しているのと同じ。(略)**さらに、『時間差で個別に褒める』こと。メールやLINEなど、個別のメッセージで褒めるのがポイントです」**(『神トーーク』/KADOKAWA)

ただし、相手(ほめる対象)が「注目されるのを嫌がる人」だったり、周囲に「他人を妬《ねた》みやすい人」がいる場合は、人前ではなく、個別にほめるほうが安心です。

4 「なんでもほめればいい」わけではない

多くの名著が「コミュニケーションを良くする上で、ほめることは大事」と述べる一方で、「ほめる回数」に関しては、意見が分かれていました。

「乱発すると見えすいたお世辞になる」
「ほめすぎは自分を低く見せる」
「むやみにほめても、効果は薄い」
　といった意見もあれば、
「うわべの言葉でもかまわない」
「何でもいいからとにかくほめろ」
「軽薄なくらいバンバンほめろ」
　という意見もありました。
　名著を精査したところ、
「人をほめすぎない」
　という意見が多数だったため、本書では、
「会話に自信がない人、ほめた経験が少ない人は、ほめすぎないほうがいい」
　と結論づけました。

会話に自信のない人が「素敵ですね」「すごいですね」とほめ続けると、「嘘っぽい」「心がこもっていない」「バカにされている」と思われかねません。

ほめる上で重要なのは、

- **心からほめる**
- **心にもないことは言わない**
- **自分の気持ちを素直に伝える**

ことです。

実業家でビジネス支援家の永松茂久さんは、著書の中で次のように述べています。
「ほめることは大切なことですが、やたらとほめても、必ずしもうまくいくとは限りません。あくまで大切なのは、相手が何を大切にし、どこをほめられると嬉しいのか？　ここをしっかりと観察し、心からほめることにあります」（『人は話し方が９割』／すばる舎）

TBSアナウンサーの安《あ》住《ずみ》紳《しん》一《いち》郎《ろう》さんは、お世辞は**「遠慮せず、積極的に口にすべき」「媚《こ》びるための言葉に限らない」**とした上で、**「相手を気持ちよくさせたいからといって、心にもない嘘をつくわけではありません。重要なのは、自分の感情をきちんと言葉にして相手に伝えることです」**（齋藤孝　安住紳一郎『話すチカラ』／ダイヤモンド社）と指摘しています。

7位 相手の目を見る

Point

1 視線の「高さ」を合わせる

2 目だけを凝視しない

3 人前で話すときも、一人ひとりに目を合わせる

7位は、「相手の目を見る」です。

話し方のプロの多くが「視線の置き方で印象が変わる」と述べています。

相手と信頼関係を築く上で大切なのが、

「アイコンタクト＝目を合わせること」

です。

「目は口ほどにものを言う」（目つきから相手の感情がわかる）、「目は心の窓」（目を見ればどのような人間かわかる）ということわざがあるように、「目」には、その人の感情や人柄が色濃くあらわれます。

目を合わせることは、気持ちを合わせることです。

「目と目が合って気持ちが通じれば自然と笑みもこぼれ、和やかな気持ちになれて互いの関係もアッという間に近づくというもの」

（野《の》口《ぐち》敏《さとし》『誰とでも15分以上会話がとぎれない！　話し方66のルール』／すばる舎）

どうして相手の目を見て話をする（話を聞く）と信頼関係が築けるのでしょうか。

目を合わせたほうがいい理由は、おもに４つです。

◆目を合わせたほうがいい４つの理由

- **相手が「自分に関心を持ってくれている」と思うから。**
- **集中して話を聞いてもらえるから。**
- **相手の心の動きを知ることができるから。**
- **目を合わせないと「嘘をついている」「自信がない」と思われるから。**

1 視線の「高さ」を合わせる

目を合わせる上で大切なことは、まず視線の「高さ」を合わせることです。視線の「高さ」を合わせるとは、

- 相手が立っているとき→自分も立つ
- 相手が座っているとき→自分も座る（腰を下ろす）

ことです。

目の高さを合わせたほうが、互いに親近感が湧きます。

相手は座っているのに自分は立ったままだと、「上から目線」になりがちです。

相手を見下ろす目線は威圧感を与えてしまい、不快な気持ちにさせてしまいます。

オンライン会議の場合も、自分の視線と同じぐらいの高さにカ

メラの位置を調整します。

ノートパソコン、スマートフォン、タブレット端末の内蔵カメラは多くの場合、視線よりも下にあるので、のぞき込むように映ります。**書籍や雑誌を積み上げた上に乗せるなどして、カメラと自分の目線を水平の高さにする**ことが大切です。

「話すときは近づいて、相手と目の高さを合わせる。あるいは相手よりやや低い目線で。立っている人に座ったまま話しかけてはいけません」（『話し方のマナーとコツ』／学研）

相手が子どもの場合は、上から見下ろして会話するのではなく、かがんで、座って、同じ視線（同じ高さ）で話をします。

視線が揃うと、子どもは、

「自分の話を聞いてもらっている」

「大切に思ってもらえている」

ことを実感します。

2 目だけを凝視しない

会話中は、「目を合わせる」「視線をそらさない」のが基本です。ですが**見つめすぎると、相手に気恥ずかしさ、居心地の悪さ、圧迫感、威圧感を与えかねません**ので、

「ときどき、視線を外す」

「目だけを直視せず、目の周辺も見る」

ようにします。

作家でエッセイストの阿《あ》川《がわ》佐《さ》和《わ》子《こ》さんは、**「顔全体を少し移動させるとか、ときどき下を向くとか、視線の休憩時間をほどよく挟んで、でも決して落ち着かない目つきだけはしない」**（『聞く力』／文藝春秋）ように心がけているそうです。

アイコンタクトのコツ

- 基本的には視線を合わせつつ、ときおり視線を外す（相手の洋服やテーブルなどに視線をそらす）。
- 目を合わせることに緊張を覚える人は、相手の目ではなく、
  「口元」
  「眉と眉の間」
  「鼻の周辺」
  を見て話す。
- 「会話の最初と最後」「大事なメッセージを伝えたいとき」は目を合わせる。

3 人前で話すときも、一人ひとりに目を合わせる

プレゼンテーション、会議、スピーチなど、人前で話す場面では、どこを見ればよいでしょうか。

人前でも、「一人ひとりと目を合わせる」のが基本です。

「口頭発表の意味は、なんといっても生身の人間が、聞き手に対して生きた語り口で話すことにあります。ですから、うつむいたまま話しをするくらいなら、いっそ後ろを向いてしまいなさい、

といいたくなります」（『知の技法』／東京大学出版会）

「全体を見渡すのではなく、『一人ひとりと目を合わせる』という話し方が、話すときの視線の送り方の原理原則になります」（鴨頭《かもがしら》嘉人《よしひと》『今まで誰も教えてくれなかった人前で話す極意』／かも出版）

「ジョブズをはじめとする優れたコミュニケーターは、聴衆と視線を合わせることがとても多い。スライドやメモを読むこともめったにない」（カーマイン・ガロ『スティーブ・ジョブズ 驚異のプレゼン』／日経BP）

「大勢を前に立ったときの視線の動かし方」については、たくさんの手法があることがわかりました。

本書では、視線の動かし方を４つ紹介します。

大勢の前で話す場合の視線の動かし方

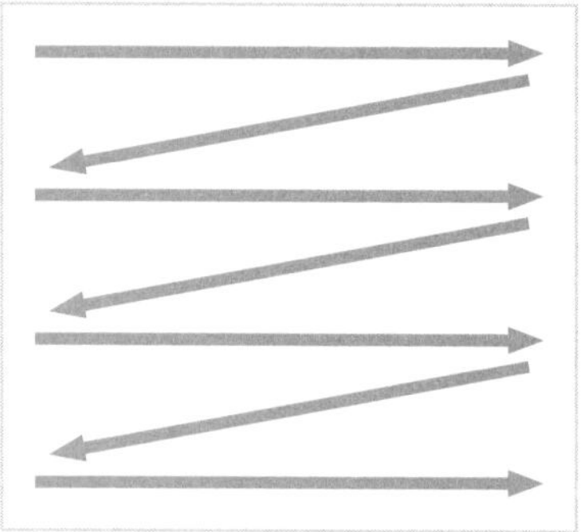

①視線をジグザグに動かす

左奥からジグザグに視線を動かす。一番手前まできたら、左奥に戻る。これを繰り返すと、全員に話しかけられる。

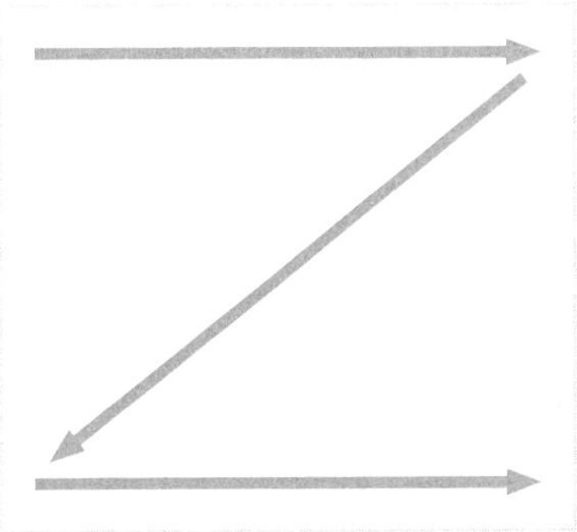

②視線を「S字」「Z字」に動かす

視線を「S字」「Z字」に動かす。「全員、全体を見ている」という印象を与えられるため、「緊張していない」「堂々としている」と感じさせる。

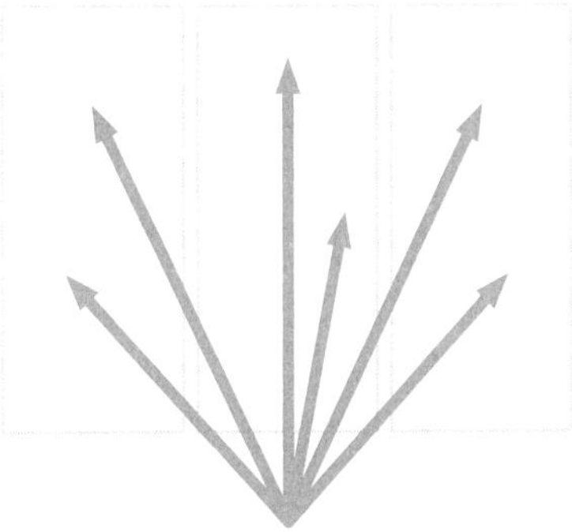

③3つのブロックに分ける

会場を「左」「真ん中」「右」と3分割して、それぞれ1、2人をピックアップ。選んだ人たちに向かって語りかける。

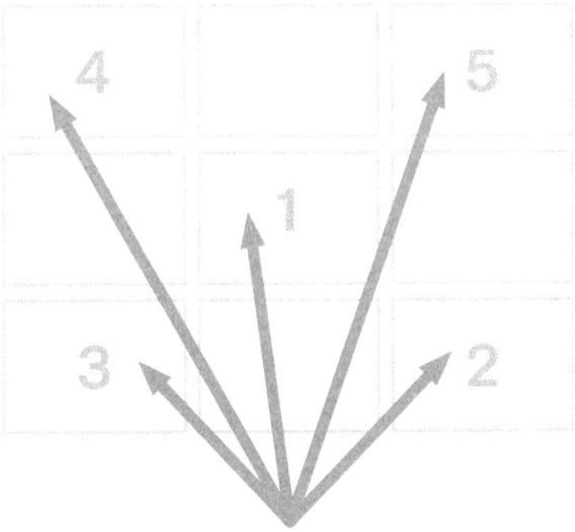

④9つのブロックに分ける

ホールなどの大きな会場の場合、会場を9つに分割し、四隅と中心の5つのブロックに向かって視線を動かす。ブロックの中の「ひとり」に語りかける。

Column

会話力の高い著名人ランキング

話し方の本100冊で取り上げられていた「雑談力、会話力、スピーチ力の高い著名人」を「登場する冊数順」にランキング化。上位にランクインしたプロの「一流の理由」を紹介します。

※著名人＝タレント、文化人、事業家、ジャーナリスト、政治家、偉人など。国内外問わず。

1位　登場冊数…5冊

髙《たか》田《た》明《あきら》（「ジャパネットたかた」創業者）

髙田明さん「一流の理由」

- 普段の会話の中にも「おもしろさ（笑い）」を入れている。
- 情報収集の目的が明確である。
- ディテールの描写が上手である。
- 商品の特徴だけでなく、その商品が役立つシーンを伝えている。
- 「ですよね」「でしょうか」といった問いかけが上手である。
- テレビと普段のしゃべり方を意図的に変えている。
  （テレビでは高音になる→視聴者の購買意欲を高める声）

「以前、ジャパネットたかたの元社長、髙田明さんの講話を拝聴したときは、なんと60分に22回の笑いが起きました。講話の冒頭

に、『皆さん、今日はおもしろいと思ったらぜひ笑ってくださいね』とフリまでしていたくらいですから、笑いを通していい場を作ることをすごく意識されていたと思います」（桐生稔『雑談の一流、二流、三流』／明日香出版社）

「髙田さんの情報収集の目的は『感動を与えること』。髙田さんは常に『何のために伝えるか』を考えており、これを『ミッション』と呼んでいます。このミッションが曖昧だと、伝えたいという情熱が湧いてこないそうです」（及《おい》川《かわ》幸《ゆき》久《ひさ》『伝え方の魔術』／かんき出版）

2位　登場冊数…４冊

- **スティーブ・ジョブズ**（「アップル」共同設立者）
- **エイブラハム・リンカーン**（第16代アメリカ合衆国大統領）

スティーブ・ジョブズ「一流の理由」

- 情報収集のルーティン化に長《た》けている。
  （大多数が知らない情報を教えてくれる人は、信頼される）
- 専門用語を使わない。
- ツイッターのように短い一文で製品やサービスを表わす。
- ポイントを３つにする。
- ディテールの描写が上手である。
- 相手が何を望んでいるのかを見極める力がある。

「スティーブ・ジョブズのプレゼンテーションは仕立てが演劇によく似ている。巧みに組み上げられ、十分に練習された舞台によ

って人々を楽しませ、勇気を与えて元気にするのだ」（カーマイン・ガロ『スティーブ・ジョブズ 驚異のプレゼン』／日経BP）

「ジョブズが言っているのは、『相手を観察し、相手が本当に求めているのは何かを真剣に探そう。そうすれば必ずうまくいく』ということなのです。人間の欲求に対する飽くなき興味、それが今のアップル社の繁栄を築いたのです」（永松茂久『人は話し方が９割』／すばる舎）

エイブラハム・リンカーン「一流の理由」

- 「怒り」をコントロールするのがうまい。
- 聴衆の価値観に合わせて話をすることができた。
- 話をする前に、周到な準備と努力をしていた。

「多くが犯す致命的な誤りは、準備を怠ることなのです。（略）**ホワイト・ハウス時代のリンカーンも言っています。『言うべき内容が何もないのに、恥ずかしげもなく人前で話をするほど老いぼれてたまるものか、といつも私は自戒している』と」**（D・カーネギー『カーネギー話し方入門 文庫版』／創元社）

３位　登場冊数…３冊

- **池上彰**（ジャーナリスト）
- **明《あか》石《し》家《や》さんま**（お笑いタレント）
- **小《こ》泉《いずみ》純《じゅん》一《いち》郎《ろう》**（第87・88・89代内閣総理大臣）
- **小《こ》泉《いずみ》進《しん》次《じ》郎《ろう》**（政治家）

池上彰さん「一流の理由」

- 「ですよね」「でしょうか」といった問いかけが上手である。
- 話を振るときに、相手の名前を入れている。
- 質問するときは、視聴者目線まで噛み砕いている。
- 大勢の中でも「1対1」で話している。

「池上さんは『私はこう思いますが……』の部分のレベルを、本当にご自身がご存知のことよりも、グッと視聴者寄りに身近な話にしているはずです」（野《の》呂《ろ》エイシロウ『「話のおもしろい人」の法則』／アスコム）

明石家さんまさん「一流の理由」

- 自分が話すことより、相手に話をさせている。
- リアクションをとって大きな笑いにしている（相手が喜ぶ）。
- 相づちを打つのがうまい（「へ～なるほど」「ほ～それで」など）。
- 会話を始めるときは、自分を主語にせず、相手を主語にした質問を振っている（「今日はちょっと眠そうだね」「最近どうなの？」など）。
- 会話の流れに乗るのがうまい。

「TVのバラエティ番組でも、流れが読めてない人は『いや、その話はもう終わったんですけど』と、さんまさんによく怒られています」（中《なか》谷《たに》彰《あき》宏《ひろ》『なぜあの人は人前で話すのがうまいのか』／ダイヤモンド社）

小泉純一郎さん「一流の理由」

- 会話の途中に「えー」を挟まない。
- 身振り手振りを効果的に使っている。

- カタカナ語は極力避けている。
- 簡潔でわかりやすく話している。

「小泉純一郎氏は総理大臣のとき、カタカナ語を極力使わないようにという指示を出しました。国会で答弁する際、英語を多用する答弁をした閣僚には『わかりやすく表現しろ』と叱責したこともあります」（池上彰『伝える力』／PHP研究所）

小泉進次郎さん「一流の理由」

- 簡潔でわかりやすく話している。
- 豊かな語彙力と表現力がある。
- 大勢の中でも「1対1」で話している。
- 強調したい部分を「高く」「強く」「はっきり」伝えている。
- 短い文章を積み重ねて話している。

「進次郎さんは、最もいいたいこと、強調したいことを高くゆっくり話すことで、聞き手の注意を集め、心に響かせるのです。そして強調したい言葉の直前には、驚くほど長い『間』をとります」
（魚《うお》住《ずみ》りえ『たった1日で声まで良くなる話し方の教科書』／東洋経済新報社）

Part.2

100冊が明かす
話がうまい人に
共通する
「13のポイント」

ランキング 8～20位

8位 具体的に話す

Point

1. 数字で語る
2. 固有名詞を入れる
3. 「体験談」で共感、説得力を高める

8位は、「具体的に話す」です。

会話のプロの多くが、「抽象的な話ばかりしない」「ストーリーを入れる」「体験談を話す」など、表現は異なりますが、具体的に話すことを推奨しています。

作家で心理カウンセラーの五百田達成さんは、「**仕事ではあいまいなコミュニケーションは損をします。きちんとはっきりと、具体的に話すこと。これが得する話し方です**」（『話し方で損する人 得する人』／ディスカヴァー・トゥエンティワン）と、とくにビジネスシーンにおける、「具体的に話すこと」の大切さを述べています。

古代ギリシアの哲学者で、多くの学問を体系化したことから、「万学《ばんがく》の祖《そ》」と呼ばれるアリストテレス。後世に大きな影響を与えたといわれる名著『弁論術』（岩波書店）の中で、「表現を重々しくするため」のひとつの方法として、「**名の代りに説明句を用いること。例えば、『円』と言わないで『中心から等距離に拡がった平面』と言うのがそれである。**（略）**比喩や修飾語を用いて事柄を具**

体的に表わすこと」と述べています。

「具体的に話す」とは、どういうことでしょうか。

◉具体的……実際の内容や様子がはっきりわかるさま。

会話のプロたちが考える「具体的に話す」ことのメリットをまとめると、次の５つになります。

◆具体的に話す５つのメリット

- **わかりやすくなる。**
- **混乱を回避できる。**
- **説得力が増す。**
- **共感が得られる。**
- **印象に残りやすい。**

では、「具体的に話す」にはどうすればいいのでしょうか。
おもな方法は３つです。

1 数字で語る

会話では、できるだけ数字を入れます。
「イメージの幅がなくなる」
「相手に正確に伝わる」
「リアリティが増す」
からです。

コンサルタントで株式会社ティンバーラインパートナーズ代表の大《おお》石《いし》哲《てつ》之《ゆき》さんは、『コンサル一年目が学ぶこと』（ディスカヴァー・トゥエンティワン）の中で、「ビジネスではファクト（＝事実）で語る」ことの重要性を述べ、次のように続けています。
「事実の最たるものは『数字』です。（略）数字でものを言うのが、いちばん効果的です。（略）世界共通言語があるとしたら、それは英語ではなく数字です」

作家の百田尚樹さんは、著書『雑談力』（PHP研究所）の中で、**「数字というものは一見無味乾燥なものに見えますが、実はそうではありません。具体的な数字があることによって、話のリアリティが格段に増すし、話の面白さがぐっと伝わりやすくなるのです」**と述べています。

『できる大人のモノの言い方大全』（青春出版社）には**「とりわけ、ビジネスシーンでは、物事を正確に伝えるため、あいまいな形容詞を避け、数字を使って、大きさや長さを表現したほうがいい」**と書かれています。

数字は、誰にとっても同じ長さを意味します。
「100メートル平泳ぎ」という水泳の種目名を聞けば、世界各国の水泳選手のみならず、誰が聞いても同じ長さを想像できます。
しかし、「長い距離の平泳ぎ」と言われたら、イメージする「長い距離」は人によってさまざまです。
企業の売上やコスト、納期についても同様です。

会話を具体的にするには、「長い」「高い」「なるべく早く」「遅い」「ほどよく」「ある程度」など、人によって解釈にバラつきの出る言葉をできるだけ数字に置き換えることが大切です。

数字に置き換えたほうがいい例

● 日付

「早めに仕上げてください」➡「○月×日までに仕上げてください」

● 価格

「見積もりは高額でした」➡「見積もりは100万円でした」

● 数量

「多めに印刷してください」➡「300枚印刷してください」

2 固有名詞を入れる

作家の中谷彰宏さんは、著書『面接の達人　バイブル版』（ダイヤモンド社）の中で、**「面接官の心に印象づけるには、できるだけ、具体語で語ることが必要だ」「具体語とは何か。簡単に言うと、固有名詞と数字だと思えばいい。固有名詞と数字の入ってない話は、残らない」**と、固有名詞と数字を入れることの重要性を説いています。

◉固有名詞……同じ種類の中で、ほかのものと区別するためにつけた名。人名、社名、地名、国名、商品名、団体名など。

×悪い例

相手「学生時代のサークル活動は、何をしていたのですか」

自分「映画制作です。ロケであちこち飛び回っていました」

○良い例

相手「学生時代のサークル活動は、何をしていたのですか」

自分「映画サークルに所属し、監督として年２本のサスペンス映画を撮っていました。ロケで、沖縄の西表島《いりおもてじま》や北海道の礼文島《れぶんとう》などにも行きました」

悪い例 は、回答が漠然としており、薄い印象になります。

良い例 は、「年２本」「サスペンス映画」「西表島」「礼文島」といった数字や固有名詞が入り、どんなサークル活動をしていたのかが印象に残りやすくなりました。

会話を具体的にするために使わないほうがいい言葉として、「こそあど」言葉が挙げられていました。

> ◉「こそあど」言葉……ものごとを指し示す言葉。

「こそあど」言葉もまた、イメージをあいまいにするからです。会話で「あの人」と言ったとき、イメージする「あの人」は人によって異なります。具体的に固有名詞を言えば、間違えることがありません。

こそあど言葉の例

	こ	そ	あ	ど
	話し手に近い	相手に近い	話し手・相手、どちらからも遠い	はっきりしない
事物	これ	それ	あれ	どれ
指示	この	その	あの	どの
場所	ここ	そこ	あそこ	どこ
様子	こんな	そんな	あんな	どんな
方角	こちら	そちら	あちら	どちら
	こっち	そっち	あっち	どっち

3 「体験談」で共感、説得力を高める

会話の中に具体的な事例を入れていくと、イメージが湧きやすく、相手に伝わりやすくなります。

具体的な事例の中でも、共感や説得力を高めることができるのが、「体験談」です。

◆共感、説得力を高める効果的な「体験談」

- **自分が見聞きした話**
- **失敗談**
- **最近のエピソード**

放送作家の野呂エイシロウさんは、**「オリジナリティに満ちた自分の体験を語れることこそが、あの人はおもしろい、と思われる源になる」「テレビやネットよりもあなたが見聞きした話が一番」**（『「話のおもしろい人」の法則』／アスコム）と述べています。野呂さんは、おもしろいネタの鍵となるのは、「自分の頭に浮かぶ疑問や違和感」と語っています。

話のネタについては、５位の「『鉄板ネタ』で雑談がとぎれず盛り上がる」を参照してください。

×悪い例

「昨日、ラーメンを食べたんだけど、とってもおいしかった」

○良い例

「昨日の夜、新宿の○△ラーメンに行ったんだけど、寒いのに行列ができてて30分も待っちゃった。食べたのは一番人気のみそラーメン！　麺が隠れるほど、炒めた野菜やチャーシューがたくさん載っていて、ボリューム満点。スープは野菜のうまみが効いてて意外とあっさり。全部飲み干してしまったよ」

悪い例 は、ラーメンを食べに行ったという事実だけはわかりますが、具体性に欠けます。

良い例 は、ラーメン店の名前を挙げ、ラーメンの見た目や味についても詳しく説明しているので、聞いた人はイメージがしやすくなります。

体験談の中でも、とくに「失敗談」が共感や安心感を呼ぶ、という意見も複数ありました。

多摩大学名誉教授で作家の樋口裕一さんは、『たった１分でできると思わせる話し方』（幻冬舎）の中で、友人や目下の人相手の会話術のひとつとして、「**得意の失敗談を作れ**」と述べています。
「人間ならだれにも失敗がある。ふつうは失敗は黙っておくべきだが、この場合は、おもしろおかしく脚色して、おどけて見せるのだ。学生時代の失恋談、新人社員時代の取引の失敗談、外国旅行の際の失敗談など、題材には事欠かないはずだ」

名著の中には、同じ体験談でも「最近」のほうが印象に残るという意見もありました。とくに面接や自己紹介などの場面では、最近の体験を、エピソードとして具体的に話せるように、準備しておくとよいでしょう。

9位

「相づち」と「うなずき」は「共感のサイン」

Point

1 興味を示す。感情を込める

2「感嘆詞＋驚いたポイント」を話す

９位は、「『相づち』と『うなずき』は『共感のサイン』」です。会話のプロの多くが「相づち」や「うなずき」の大切さを強調していました。

◉相づち……相手の話の調子に合わせた受け答え。自分が聞いたことを言葉にして返す。
◉うなずき……肯定、承諾などの気持ちを表すため首を縦に振る。

「『話をよく聞いているよ』と、相手に伝える最良のコミュニケーション手段は、相づちを打つことです」
「人は態度から判断するのです。だから相づちは肯定的なものです。聞き手の肯定的な態度が、相づちを打つことによって話し手に伝わるのです」（東山《ひがしやま》紘《ひろ》久《ひさ》『プロカウンセラーの聞く技術』／創元社）

「人が話をするとき、聞き手に求めているのは『反応』なのです」
「きちんとうなずいて『聞いています』というサインを送っていますか」（野口敏『誰とでも15分以上会話がとぎれない！　話し方66のルール』／

すばる舎)

◆相づちを打つ効果

- **相手が安心して話せる。**
- **相手を勇気づける**
- **話が広がる。**

相づちの種類

- 好感度が高い相づち

「○○ですね」
「それはよかったですね」
「はじめて聞きました！」
「知らなかった」
「それは大変ですね」
「さびしくなりますね」
「さすが！」
「そうなんですか！」
「嬉しいですよね」
「いいですね」
「私もそう思います！」

- 相手をサポートする相づち

「ありますね。そういうのって」
「たしかにそうですよね」
「わかります」
「へぇー、それでどうなったの？」

相づちには、打つと相手に不快な思いを与えてしまうものもあります。次のような相づちは避けましょう。

◆避けたほうがいい相づち

- **疑っているのかと思わせる**

「うそー」「まさか」「ほんとうですかぁー？」「そんなー」

- **違和感を与える**

「あー、なるほどですね」（何回も続けた場合）

- **本当に聞いているのか不信感を抱かせる**

「そうですね」（うわの空で言う）

- **「そんなことは知っているよ」と誤解させる**

「はいはいはい」（続けざまに相づちを打つ）

1 興味を示す。感情を込める

言葉だけで相づちを打っても、相手に響きません。

気持ちよく話してもらうには、**「相手の話に興味がある」ことを伝える**必要があります。そのためには、相手の顔をしっかり見て、感情を込めた相づちを打つようにします。

コンサルタントで作家の安田正さんは、**「大切なのは、しっかりと話を聞いて、言葉や動きに情感を込めることです。つまり、『ああ、この人はちゃんと話を聞いてくれてるな』と相手に感じてもらうことがゴールになります」**（『超一流の雑談力』／文響社）と述べています。

2 「感嘆詞＋驚いたポイント」を話す

感情を込めるために効果的なのが、感嘆詞です。

◉感嘆詞……感嘆（感心や感動）のあまり発する言葉。「まあ」「えっ」「そーなんですか」など。

TBSアナウンサーの安住紳一郎さんは、齋《さい》藤《とう》孝《たかし》さんとの共著『話すチカラ』（ダイヤモンド社）の中で、「**『えー！』と驚いたり、『へぇー』と共感したりするのもよいでしょう。このとき、驚いたり共感したりしている具体的なポイントを伝えると、一気に相手の心をつかむことができます**」と語っています。

驚きや共感の相づちを打つだけでは、相手が物足りなさを感じるケースもあります。そんなときは、安住さんが推奨するように、

「感嘆詞（共感の相づち）＋驚いたポイント」

をセットにするとよいでしょう。

例文

「えーー、それって、入手困難のシューズでしょう？　どうやって手に入れたんですか？」

などのようにすると、より感情を込めることができます。

10位 謝罪が先。言い訳はあと

Point

1 理由や言い訳の前にまず謝る

2 すぐに謝る

10位は、「謝罪が先。言い訳はあと」です。

「口答えしない」「間違えたら、素直に謝る」「仕事で指摘を受けたら、まずは謝る」など、謝罪をすることや言い訳しないことの重要性について、会話のプロの多くが触れていました。

◉言い訳……自分の失敗について、やむをえなかった事情などをあれこれ説明し、正当化すること。

心理学者の内藤誼人さんは、『「人たらし」のブラック心理術』（大和書房）の中で、**「自分に何か問題があったときには、さっさと謝《あやま》るのが『人たらし』の技術である。『ごめんなさい』の一言は、どんな相手にも有効に作用する」**と述べています。

また、古代ギリシアの哲学者アリストテレスは『弁論術』（岩波書店）の中で、**「口答えしたり、罪を否定したりする者に対しては、われわれは一そう厳しい懲罰を加えるが、罰せられて当然であると認めている者に対しては、怒りを収める」**と記しています。「まず、自分の非を認める」と相手の怒りを助長させずに済みます。

どれだけ年齢を重ねようと、どれだけ成功を収めようと、人は失敗したり、間違いをおかしたりするものです。

失敗や間違いを起こさないように気を付けることは大切ですが、それ以上に、**失敗したり、間違えたりしたあとに、どう対応するかが重要**です。それによって状況が大きく変わることもあるからです。基本は、「まず謝罪する」です。

◆「すぐ謝る」ことは想像以上に難しい

そもそも、人はなぜすぐに謝罪ができないのでしょうか。

会話のプロは、理由のひとつとして「頭を下げると自分の負けと思ってしまうから」を挙げていました。実際は逆です。

「頭を下げる＝勝ち」

「すぐ謝る＝得」

と会話のプロは指摘しています。謝罪したほうが、その後の人間関係が円滑になるからです。

作家で心理カウンセラーの五百田達成さんは、『話し方で損する人 得する人』（ディスカヴァー・トゥエンティワン）の中で、「**仕事のトラブルの際に考えるべきは『どちらが悪いか』ではありません。『どう話せば得か』だけを考えればいいのです**」とトラブルの際の考え方について述べています。

では、どのように謝罪をすればいいのでしょうか。謝罪をするときのポイントは２つです。

1 理由や言い訳の前にまず謝る

「間違いを指摘されたり、非難されたり」すると、素直に聞くことができず、つい「言い訳」が口をついてしまうことがあります。言い訳は自分の弁護や自己満足になるからです。

しかし、相手は言い訳に満足しません。**言い訳を言えば言うほど、相手の感情を逆なですることになります。**

言い訳はせずに、謝ることが大切です。

◆言い訳をしないことのメリット

- **事態を収拾させる。**
- **好感度が高まる。**

電車の遅延が理由で、上司や取引先との打ち合わせに遅れた場合なども同様です。

×悪い例

「踏切の故障で電車が止まってしまって20分も足止めを食っていました。間に合う時間に家を出たんですけどね。本当に申し訳ありません」

○良い例

「遅れてしまい、大変申し訳ありません」

悪い例 では、まずは言い訳をし、そのあとで謝罪をしています。遅れたのは電車の遅延が原因かもしれませんが、相手を待たせたのは事実。まずは、謝罪をします。

良い例 では、言い訳はせずに、真っ先に謝罪をしています。まずは謝罪をし、相手に「どうしたんだ？」と聞かれたら、遅れた原因を説明します。

とくに、仕事で注意を受けたり、叱られたりした場合は、明らかに自分のミスではないときも（相手がよほど間違っている場合を除き）、言い訳せずにまずは謝るのが基本です。

イメージコンサルタントの吉《よし》原《はら》珠《たま》央《お》さんは、『「もっと話したい！」と思われる人の44のルール』（幻冬舎）の中で、**「最初の謝罪の意味は、『あなたにほんの少しでも不快な思いと、誤解を与えてしまったことをお詫《わ》びします』という気持ちで良いのだと思います」**と説明しています。

弁明する場合は、謝罪後にタイミングを見計らって説明します。また、上司に叱られた場合は、謝罪のあとで、指摘してもらったことに対する感謝の言葉を述べると、好感度が高まります。

謝罪するときの順序

- 謝る

「申し訳ありませんでした」「ごめんなさい」

↓（理由を聞かれたり、必要だと思ったりしたら、弁明する）

- 感謝を伝える

「ご指摘いただき、ありがとうございました。勉強になりました」

間違っても、余計な口答えはしないようにします。

たとえば、

「お言葉ですが……」

「なるほど、おっしゃる意味はわかりますが、しかし……」

「その点に関して、反対の意見を述べさせてもらいますと……」

「○○さんが××と言ったから（人のせいにする）」

のような言葉は避けます。

2 すぐに謝る

「叱られたとき」「注意をされたとき」にどんな態度をとるかによって、評価や周囲が見た印象は変わってきます。

大切なのは、「すぐに」謝ることです。

大野萌子さんは、『よけいなひと言を好かれるセリフに変える言いかえ図鑑』（サンマーク出版）で「謝罪の三原則」に触れ、

- **事実を認めて**
- **シンプルに**
- **1分1秒でも早く**

謝ることを推奨しています。

明治大学文学部教授でコメンテーターとしても活躍する齋藤孝さんは、『1分で大切なことを伝える技術』（PHP研究所）の中で、「**『申し訳ありませんでした』といった謝罪の言葉を、『後で言おう』と思っているうちに忘れてしまったことはないだろうか。謝る気持ちが強すぎると、かえって言ったつもりになってしまうのである**」

と述べています。「謝罪の言葉を言い忘れないよう」注意をうながしているのです。

また、場合によっては謝罪を電話などで済ませるのではなく、直接会いに行くことも大切です。

野呂エイシロウさんは、『「話のおもしろい人」の法則』（アスコム）の中で、**「トラブルが発生したり、相手に謝らなければならない場面では、どんなに忙しくても必ず時間をひねり出して、直接会うことにしています」**と述べています。

直接会ったほうが、ニュアンスが伝わりやすいからです。

100冊の中には、「謝りすぎ」にくぎを刺す意見もありました。

相手がもう忘れようとしているにもかかわらず、いつまでも覚えていて、「あのときは申し訳ありませんでした」と謝るのは逆効果です。

社会心理学者の渋谷昌三さんは、『人を傷つける話し方、人に喜ばれる話し方』（ワック）の中で次のように述べています。

「すでに落着した『昔の話』なのに、当人がわざわざ蒸し返してあやまるのですから、イライラもつのります。そのうちに苦手意識も生まれ、あの人とは会いたくない……という気持ちにもなってきます」

謝罪の気持ちを持つことは大切です。しかし、いつまでもその気持ちに引きずられるのではなく、**「同じ過ちを繰り返さない」と覚悟を決めて、「失敗を成功に転化する」ことを考えましょう。**

11位 話は「短い」ほうがいい

Point

1 余計な言葉を削る

2 「言い切る」クセをつける

「文章術」について書いた前著『「文章術のベストセラー100冊」のポイントを1冊にまとめてみた。』（日経BP）で1位にランキングされたのは、「文章はシンプルに」でした。

文章のプロたちは、異口同音に「無駄な言葉を使わずに簡潔に書く」ことを推奨していました。「話し方」でも同様です。

会話のプロの多くが、**「話すときには短く」**をポイントとして挙げています。

「長い文章を短くするだけでも、聞き手にグッと伝わる内容に変わります」（及川幸久『伝え方の魔術』／かんき出版）

「話を短くする」とは、

- **話全体を短くする**
- **文**（「。」で区切られたもの）**を短くする**

ことです。

なぜ、「話すときには短く」するのがよいのでしょうか。メリットは次の2つです。

◆「話を短くする」ことのメリット

- **相手の記憶に残る。**
- **相手に伝わりやすい。**

KIT虎ノ門大学院教授で著述家の三《み》谷《たに》宏《こう》治《じ》さんは、**「ヒトが一度に受け止めきれる情報量には限りがあります。**（略）**15秒以内に、90％の情報が忘れ去られ、それを超えて保持できるのは、数字であれば7つ、文字では6つ、単語では5つしかありません」**（『一瞬で大切なことを伝える技術』／かんき出版）と記しています。

文を短くすると、相手に伝わりやすくなるのは、記憶だけの問題ではありません。

コミュニケーションアドバイザーの鶴《つる》野《の》充《みつ》茂《しげ》さんは、『頭のいい説明「すぐできる」コツ』（三笠書房）の中で、**「文章を短くしようとすればするほど、話し手は厳密に言葉を選ぶようになる」**と述べています。

どんな言葉だったら正しく伝わるかを吟味するため、余計な言葉はそぎ落とされ、聞き手にとってわかりやすい言葉が自然と選ばれる。だから、わかりやすい、というわけです。

1 余計な言葉を削る

会話を短くするために大切なのは、文章を削ることです。

会話のプロの多くが、削ったほうがいい候補として挙げていたのは、次の３つです。

◆削ったほうがいい言葉の候補

（1）語尾

- **「と思います」「と考えています」**

→「○○します」「です」

例）「売上達成に向けて努力していきたいと思います」

→「売上達成に向けて努力します」

- **「させていただきます」**（丁寧すぎる言い回し）

→「○○です」「○○します」

例）「発売させていただきます」

→「発売します」

- **「こととといたしました」**（まわりくどい言い回し）

→「○○ました」

例）「新規事業を立ち上げることといたしました」

→「新規事業を立ち上げました」

（2）修飾語

「とことん」「なかなか」「ぴしっと」「毅然と」「熱心に」など

（3）接続詞

「そして」「だから」「ところで」など

2 「言い切る」クセをつける

文はできるだけ短くし、短い文を重ねていきます。文を短くするには、なるべくひとつひとつの話を言い切るようにします。言い切るとは、「です。」「ます。」で話を区切っていくことです。

×悪い例

「昨日は営業に出かける日だったんですけど、朝の天気予報で午後からどしゃぶりの予想でしたので、荷物になると思いながらレインコートを持っていきました」

○良い例

「昨日は営業に出かける日だったんです。朝の天気予報で午後からどしゃぶりの予想でした。荷物になると思いながらレインコートを持っていきました」

悪い例 は「、」で文章をつなげていますが、**良い例** は、「。」で区切りました。区切ったほうが聞き手は聞きやすくなります。

話がだらだら長くなってしまう一因は、「話のポイント」や「話を聞いたあとに、聞き手にどう行動してほしい」などの話す内容が整理されていないから、という意見もありました。

まとまった話をするときには、**事前に話す内容を整理してから話す**ようにします。

12位 笑顔で会話する

Point

1. 笑顔は訓練で身につける
2. 笑顔プラスαで相手との距離を縮める
3. 笑顔は会話の内容に合わせて使い分ける

12位は、「笑顔で会話する」です。
「もっと話したい」「この人の話をもっと聞きたい」と思われるためには、話す内容に加え、表情を意識することです。

表情がもたらす印象は、ビジネス、恋愛、家族や友人関係など、あらゆる場面で効果を発揮します。
会話のプロたちが「良い印象を与える表情」「コミュニケーションの基本中の基本」として挙げているのは、ダントツで「笑顔」です。

●笑顔……口角を上げて、にこにこすること。

星渉さんは、著書『神トーーク』(KADOKAWA)の中で、比較行動学者のイレネウス・アイブル＝アイベスフェルトが実施した、「挨拶」の役割についての調査を紹介しています。

アイベスフェルトが、インドネシアのバリ島に住む先住民やパプア人など、文化も宗教も異なる人々の「挨拶行動」を観察した結果、彼らは各々の人種や文化、風習等によって形成された独自の挨拶の形を持つものの、ある共通点がありました。

「その共通点とは『誰かに出会った際、お互いに見つめ合ってから約0.2秒ほど眉を上げて、その後に微笑む』ということでした。アイベスフェルトは『微笑む』という行為が緊張を解き、互いの攻撃性を弱めることに役立っていると結論づけています」

ビジネスコンサルタントで京都光華女子大学キャリア形成学科客員教授の和《わ》田《だ》裕《ひろ》美《み》さんは、「表情を変えるだけで好かれる空気ができる」と言い、**「笑うことくらい絶対にできるのです。こんなに簡単なことなのに、この笑顔ですごく人と差ができるのです」**（『和田裕美の人に好かれる話し方』／大和書房）と説いています。

会話のプロたちは、「笑顔は誰にでも簡単にできる、メリットの多いコミュニケーション方法」だと述べています。

◆笑顔で会話するメリット

- **口角を上げた状態で話すため、やさしい印象になる。**
- **話を聞いているときも笑顔を浮かべると、「よく聞いてくれている」という安心感が生まれる。**
- **相手の心をほぐす。**
- **お互いの警戒心を解く。**
- **話すほうも聞くほうも気持ちいい。**
- **自信を伝える。**
- **場の空気を変える。**

笑顔で会話するときのポイントは、次の３つです。

1 笑顔は訓練で身につける

笑顔の重要性はわかっていても、いざ、人前に立ったときや会話が苦手な場合は、緊張して顔がこわばったり、うまく笑顔になれないこともあります。

どうすれば、笑顔での会話がうまくなるのでしょうか。

それは、訓練をすることです。意識して、笑顔で話すようにしていると、できるようになります。

フリーアナウンサーの魚住りえさんは、『たった１日で声まで良くなる話し方の教科書』（東洋経済新報社）の中で、「笑顔はシンクロする」と言い、「**ほんの少しでも口の端（口角）を斜め上に上げるイメージで、会話にのぞんでみてください。笑いたくないときでも笑顔をつくるなんて不自然に思うかもしれませんが、効果は絶大です**」と述べています。

笑いたくないときでも、会話のときは笑顔をつくると、相手に安心感を与え、場の雰囲気も良くなり、自分も話しやすくなります。

話し方のベストセラー100冊の中で紹介されていた「笑顔の訓練方法」をいくつか紹介します。

笑顔を身につける方法

- 「つくり笑い」でもいいから続ける。
- 朝、鏡に向かってお気に入りの笑顔を浮かべる。
- 言葉の最後に無言の「イ」をつけて話す。
  「また、ぜひ一緒に仕事をしましょう（イ）」
  「本当にありがとうございました（イ）」
  「こんにちは（イ）」
- どんなにいやなことがあっても、イライラしていても、とにかく、笑顔をつくる。

2 笑顔プラスαで相手との距離を縮める

笑顔だけでなく、声の表情や目線を意識することで、より相手に好印象を与えられます。

イメージコンサルタントの吉原珠央さんは、「目の印象にも配慮すべき」と考えています。

「笑顔の簡単なポイントと言えば、『口角を５ミリ上げる』ということです。つまり、微笑んでいる表情をキープするということです。さらに私がおすすめしたいのは、目の印象です」

「言葉では親切なことを言っても、目が笑っていなければ、親切心は表面上のパフォーマンスだけで、相手を拒絶しているとみなされてしまいます。目も口元も、あなたの言葉と同じくらいに強力なメッセンジャーとなります」（『「もっと話したい！」と思われる人の44のルール』／幻冬舎）と語っています。

永松茂久さんも『人は話し方が９割』（すばる舎）の中で、「**相手の人にいかに自分が関心を寄せているかを伝えることが大事**」であり、効果的に示す方法として、「**笑顔で聞き、自分の感情を言葉に乗せ、身振り手振りを使って相手にリアクションする**」と述べています。

そして、「顔の表情」「声の表情」「全体の表情」の３つを効果的に活用することが大切だと続けています。

笑顔にプラスしたい要素

- 口元だけでなく、目でも笑う。
- 顔は笑顔をキープし、「声の表情」と「身振り手振り」にも気を配る。

3 笑顔は会話の内容に合わせて使い分ける

笑顔はコミュニケーションにとって大切です。しかし、いつでも笑顔で話せばいいわけではありません。

場所、状況を踏まえる必要があります。

戸《と》田《だ》久《く》実《み》さんは『アドラー流たった１分で伝わる言い方』（かんき出版）の中で、「**『笑顔で言えば嫌われない』は妄想**」と記しています。そして、笑顔で伝えないほうがいい例として次の「言いにくい内容」を挙げています。

◆笑顔が向かない話の内容

- 相手からのお願いを断るとき。
- 相手にとって負担になるようなお願いをするとき。
- 注意をするとき。

これらを伝えるときに、「相手に嫌われなくない」からと、笑顔で伝えると、真剣さが伝わらないことになります。

戸田さんは「**気をつかってつくった笑顔が、伝えたいメッセージをわかりにくくすることもあるので、真剣な気持ちのままの表情で向き合いましょう**」とコメントを結んでいます。

会話のプロたちのベストセラーには、ほかにも笑顔が向かない場面の例が挙げられていました。

◆笑顔が向かない場面

- 同僚の親しい人の病の話に接したとき。
- お客様が過去の悲しい体験を語っているとき。
- 笑う理由がないとき。

会話では、相手の気持ちを察し、感情に寄り添った表情をします。

相手が悲しんでいるときは、その気持ちを汲《く》むことが大切です。
伝える内容によって、笑顔を使い分けましょう。

13位 叱ってもいいが、怒ってはいけない

Point

1 人格否定をしない
2 伝えるべきは「事実＋改善点＋理由」
3 「叱る」は、「敬意」「愛情」とワンセット

会社であれば、後輩や部下を叱る。プライベートでは子どもを叱る、パートナーを怒る。そんな場面でも、「どう言うか」「どう伝えるか」によって、相手の受け取り方は大きく変わります。

まず、「叱る」と「怒る」はどう違うのでしょう。
複数の辞書を引いてみると、

◉怒る……腹を立てること。「叱る」場合にも使う。腹立たしい気持ちをともなう
◉叱る……目下の者のあやまちや欠点などを、（直そうとして）強い言葉でとがめる。注意することに重点が置かれる

とあり、話し方の名著100冊の中には、**「相手の成長を考えた上で間違いを指摘するのが『叱る』。自分の怒りを相手にぶつける自分勝手な行為が『怒る』」**と定義したものもありました。
本書では、「注意することに重点が置かれる」ときに「叱る」を使うこととします。

会話のプロたちの意見をまとめると、叱る目的は
「相手の成長のために改善をうながすこと」
となります。

部下を成長させるのは、経営者や上司の務めです。しかし、
「叱ると関係性が悪くなるのではないか」
「パワハラだと思われるのではないか」
と、「叱ること」に苦手意識を持っている人は少なくありません。
実際に**話し方を間違えると相手を傷つけ、ハラスメントにつながることもあります。**

大野萌子さんは、『よけいなひと言を好かれるセリフに変える言いかえ図鑑』（サンマーク出版）の中で、**「組織では役職や経験年数で『上下関係』が明確になるため、上の立場の人間が下の人間を攻撃したりコントロールするとハラスメントにつながります」**と警鐘を鳴らしています。

では、会話のプロたちはどのように部下を叱っているのでしょうか。ポイントは３つあります。

1 人格否定をしない

相手の成長をうながすために叱る場合でも、少しでも感情が動いていると、つい出てしまうのが、相手の人格を否定する言葉です。

◉人格……人としての在り方、性格、人間性。

会話のプロの多くは、叱るときに「相手に言ってはいけない言葉」として、
「人格を否定する言葉」
を挙げています。

言ってはいけない「人格否定」の言葉の例

「君はダメだ」
「君のやっていることには意味がない」
「あなた、馬鹿じゃないの」
「アホ」
「のろま」
「この仕事、向いてないよね」
「いいかげんだな」
「だらしない」

「叱る」のは本人の成長が目的です。このような「人格を否定する言葉」を使うと、成長するどころか、相手はやる気をなくしたり、自信の喪失につながったり、自己肯定感が低くなってしまいます。すると、身動きが取れなくなってしまうのです。
叱るときには、「人格」に目を向けないようにします。

そのほかにも、「（答えられないことについての）原因を追及する言葉」「自己保身につながる言葉」を使ってはいけません。

言ってはいけない「原因追及」の言葉の例

「なんでこんなこともできないの？」

「なぜそんなに仕事が遅いの？」
「なぜ言われた通りにやらなかったんだ！」

言ってはいけない「自己保身」の言葉の例

「君が失敗すると、俺の評価が下がる」

2 伝えるべきは「事実＋改善点＋理由」

では、叱る場合は、何に注目すればよいのでしょうか。

会話のプロたちは、**「とった行動」や「事実」に注目すること**をすすめています。

「人」ではなく、「事」に注目して叱るのです。

その際に、「どう改善してほしいのか」を「具体的に」、そして「理由」を添えて伝えることも大切です。

つまり、

「事実＋改善点＋理由」

をセットで伝えます。

たとえば、会議に遅刻してきた新入社員への対応例では次のようになります。

×悪い例

「君は本当にだらしない。もっとちゃんとしてくれないかな」

○良い例

「今日、会議に20分遅れたね。遅刻はしないほうがいい。グループ会議に参加するときは、時間を守ってほしいんだ。君だけ情報共有ができないと、業務に支障をきたすことになりかねないからね。どうすれば、遅刻しなくなるか、一緒に考えてみよう」

悪い例 では、「だらしない」と人格を否定しています。さらに指示も「ちゃんとしてくれないかな」とあいまいです。

良い例 では、人格に触れることなく、「会議に20分遅れたこと（事実）」を述べ、「時間を守ってほしい（どうしてほしいのか）」を明確に語り、「業務に支障をきたす（理由）」へつなげています。

◆使わないほうがいい「あいまい語」

「しっかりして」

「きちんとやって」

「ふつうにやって」

「ちゃんとして」

3 「叱る」は、「敬意」「愛情」とワンセット

叱るのは、「相手の成長のために改善をうながすこと」が目的です。相手への敬意や愛情を意識的に持つことが必要です。

叱る行為は感情的になりがちだからこそ、意識的に敬意を込める必要があります。

叱り方のポイントを覚えやすく紹介している本がありましたの

で、まとめの意味も込めて紹介します。

『叱られる力』（文藝春秋）の中で阿川佐和子さんが紹介していた、「叱り方の極意」として雑誌の編集長から教えてもらったという語呂合わせ、「借りてきた猫」です（「発案はライフバランスマネジメント研究所の渡《わた》部《なべ》卓《たかし》さん」とのこと）。

叱り方の極意「借りてきた猫」

か……感情的にならない
り……理由を話す
て……手短に
き……キャラクター（性格や人格）に触れない
た……他人と比較しない
ね……根に持たない
こ……個別に叱る

話し方のベストセラーの中には、子どもの叱り方について触れている本も複数ありましたのでポイントをまとめます。部下を叱るときにも参考になります。

「子どもの叱り方」のポイント

- 「だめ！」「違う！」を可能な限り使わない。
- プロセスに目を向ける（能力ややり方の否定はしない）。
- 親の気持ちを伝える。
- 行為を叱る（人格を否定しない）。
- 理由を説明する。
- 子どもにわかる言葉で伝える。

14位 目上の人と話すときは丁寧に

Point

1. 上司や目上の人には「言葉づかい」から丁寧に
2. 反論したいときも、相手の話を聞いてから
3. 報告は尋ねられるより前にする
4. 「教えてもらう」姿勢を忘れない

目上の人や上司との会話では、緊張したり、目上だからと遠慮して、つい口数が少なくなりがちです。

しかし、話すコツさえ覚えれば、うまくコミュニケーションが取れるようになります。

多くの会話のプロが、目上の人と話すときに大切にしているのは、「丁寧に話すこと」です。

ただし、目上だからといって、「へりくだりすぎないこと」「自分の意見はしっかり言うこと」も肝に銘《めい》じておきましょう。

多摩大学名誉教授の樋口裕一さんは、**「『イエスマン』で出世できる会社もあるかもしれない。だが、そんな会社は先が見えている。真っ向から反対するのはまずいにしても、まともな組織であれば、目上の人間の弱点を鋭い視点でつく存在は一目置かれるはずだ」**（『たった１分でできると思わせる話し方』／幻冬舎）と述べています。

1 上司や目上の人には「言葉づかい」から丁寧に

目上の人や上司に対しては**振る舞いだけでなく、言葉の選び方から丁寧にする**ことを心がけます。

逆に使ってはいけないのが、

- 上から目線の言葉
- 良いか悪いかを評価する言葉

です。

> ◉上から目線……上の立場の者が下の者に対して示す言動。人に対して露骨に見下した態度を取ること。（『デジタル大辞泉』）

「マナー界のカリスマ」と称される金《かな》森《もり》たかこさんの著書『入社1年目ビジネスマナーの教科書』（プレジデント社）では、「上から目線」を避けるために、**「命令形を依頼形、伺い形」にする、「クッション言葉を使う」ことを推奨**しています。

> ◉クッション言葉……伝えたい本題に入る前にひと言添えて和らげる働きのある言葉。「よろしければ」「ご迷惑でなければ」「お忙しいところ申し訳ありませんが」など。

伝えたいことは同じでも、相手を思いやる言葉をひと言添えるだけで、印象は大きく変わります。

「命令形」➡「依頼形」「伺い形」の例文

×「お越しください」（命令形）

⬇

○「お越しくださいますか」「お越しいただけますでしょうか」
（依頼形／伺い形）

クッション言葉の例文

「よろしければ、ご報告してもよいでしょうか？」

「お忙しいところ申し訳ありませんが、少しお時間いただけませんか」

「上から目線」「良し悪しの評価」➡「敬意を表する」例文

×「感心しました」

⬇

○「感銘を受けました」

⬇（より丁寧に言いたい場合）

○「敬服いたしました」「感服いたしました」

社内や取引先の年上の人だけでなく、周囲の熟年者に対しても、丁寧で思いやりのある言葉で接します。

たとえば、祖父母との会話では、どうすればいいのでしょうか。茶道家の塩月弥栄子さんの本にヒントがあります。

「『おじいちゃんがいるおかげで……』、『おばあちゃんにはまだまだ教えてもらうことがいっぱいあるの……』などと、“頼られている”実感を伝え、元気づけてあげましょう」

「若い人には、熟年者特有の心の動きを見極め、対処する義務が

あります。その温かい対処は、熟年者の心に張りを持たせ、喜びをもって受け入れられるにちがいありません」（『上品な話し方』／光文社）

また、会話のプロたちの中には、**「肩書や立場によって話し方や心構えを変えない」**という意見もありました。

2 反論したいときも、相手の話を聞いてから

先に述べたように、上司や目上の人だからといって、**「へりくだりすぎないこと」「自分の意見はしっかり言うこと」が大切**です。

自分の意見を言わないと、「受け身の姿勢が身についてしまう」「甘く見られる」「一目置かれる存在になれない」などのデメリットがあります。自分の意見ははっきり伝えましょう。

ただ、そうはいっても反論する場合には、手順や工夫が必要です。

「部長のやり方は間違っています」のように、いきなり反論をぶつけると、相手は身構えてしまい、意見を聞いてもらえないおそれがあります。

反論を聞いてもらうコツは、大きく分けて２つです。

反論を聞いてもらうコツ

- クッション言葉になるフレーズを使う。
- 相手の意見を先に受け止める。

福田健さんは、『女性は「話し方」で９割変わる』（経済界）の中で、反論の強さを和らげる作用のある「マジックフレーズ」を紹介しています。

反論を和らげるマジックフレーズ

- お言葉を返すようですが
- 生意気を言うようですが
- すみません、ひと言よろしいですか？
- ドキドキして、うまく言えるかどうか心配です
- お前に何がわかるかと言われそうで、恐いんですが
- 申しわけないですが、聞いていただけますか
- 間違っているかもしれませんが、私、こう思うんです

反論するときは、こうしたクッションになるような言葉を「明るく、さわやかな口調で」使うと、相手も聞く気になります。

もし、手ごわそうな上司の場合は、さらに工夫が必要です。

樋口裕一さんは、**「あたかも賛成であるかのように意見を羅《ら》列《れつ》して、最後に反論を付け加える方法」**を紹介しています。

「『おっしゃる通りです。なぜなら……』の後を引き伸ばしてたくさん論拠をあげるわけだ。そうしておいて、最後に、少しだけ反論をつけ加える。『しかし、……のような場合が考えられますが』というような調子だ」（『たった１分でできると思わせる話し方』／幻冬舎）

反論は、どうしても相手に不快感や緊張感を与えます。

「おっしゃる通りです」といったん相手の意見を受け止めること

で、不快感や緊張感を和らげる効果があります。
その後、最後に自分の反対意見を加えるのです。

3 報告は尋ねられるより前にする

会話のプロたちは、**上司への「ホウレンソウ（報告・連絡・相談）」は聞かれる前に行うこと**を推奨しています。
「先日のイベントの報告書はどうなった？」と上司に聞かれてからあわてて答えると、自分の整理がついていない場合があります。しどろもどろになり、答えられない場合も。

自分のタイミングで、先に伝えられれば、しっかり整理された報告ができます。

ほかにも、先に報告したほうがいい理由として、

- 聞かれるまで黙っていると自主性に欠ける「受け身人間」と誤解される
- 作業が遅れていると思われる

などを挙げられていました。

上司に報告するときの話し方は、次の点に気をつけます。

上司に報告するときの話し方のポイント

- 結論から話す。
- 「意見」ではなく「事実」を伝える。
- ５Ｗ３Ｈを活用する。

５Ｗ３Ｈとは、When（いつ）、Where（どこで）、Who（誰が）、Why

（なぜ・動機）、What（何を・課題）、How（どのように）、How many（どのくらい）、How much（価格）のことです。

よく耳にする５Ｗ１Ｈ（４位参照）にHow many（どのくらい）、How much（価格）が加わり、より詳しい報告ができます。

シーネクスト・パートナーズ代表取締役の戸《と》塚《つか》隆《たか》将《まさ》さんは、『世界のエリートはなぜ、「この基本」を大事にするのか？』（朝日新聞出版）の中で、**「念押し型ホウレンソウ（報告・連絡・相談）」**を推奨しています。

「私は○○と考えていますが、よろしいでしょうか？」と念を押しながら相談する方法です。

「念押し型ホウレンソウは仕事を効率的に進める上で必須なばかりか、あなたに対する信頼を高めてくれます」

また、社内のエレベーターなどで上司と２人きりになったときも「自分から」話しかけるようにすると、積極性を認められて、上司からの印象が良くなる、という意見もありました。

4 「教えてもらう」姿勢を忘れない

目上の人と接する際、話題に困ることがあります。年齢が離れていれば、なおさらです。そんなときは「教えてもらう」姿勢でいることが大切です。

モチベーション＆コミュニケーションスクール代表の桐生稔さんは、『雑談の一流、二流、三流』（明日香出版社）の中で、**「人間は、**

目上の人が目下の人を指導するようにできています」と語り、「**人間が子孫を残そうとするのと同じように、上の人が下の人に経験を継承することがDNAレベルで組み込まれているのです**」と説明。つまり、人間が「**教えたがっているということを理解すると、年配の方との会話ポイントが見えて**」くるとしています。

目上の人には教えてもらう姿勢で接すると、相手は「教えてあげよう」という気持ちになり、かわいがってもらえますし、話も弾みます。

×悪い例

「部長はいつも資料をまとめるのが早いですね」

○良い例

「部長はいつも資料をまとめるのが早いですね。どうしたらそんなに早くまとめられるのですか」

悪い例 では、「早いですね」という感想だけで、会話が終わっています。**良い例** では、感想のあとに質問をすることで、「教えてほしい」というスタンスを見せています。

ポイントは、**「どうしたらそのようになるのですか」「なぜ、そんなにできるのですか」のように会話をして、教えを乞うこと。**「教えてください」というスタンスでいると、取引先の苦手な人との会話も円滑になります。

15位 「かんたんな言葉」「やさしい言葉」で伝える

Point

1. 専門用語は説明を加える
2. 同音異義語はわかりやすい言葉に置き換える
3. カタカナ語は多用しない

15位は「『かんたんな言葉』『やさしい言葉』で伝える」でした。

「かんたんな言葉」「やさしい言葉」とは、

「小学生が理解できる言葉」

「相手がよくわかる言葉」

のことです。

わかりやすい演説で知られる第16代アメリカ合衆国大統領のエイブラハム・リンカーンも、「**どんな子供でも理解できると思えるような平易な言葉に言い換える**」ことを心掛けていたといいます（D・カーネギー『カーネギー話し方入門 文庫版』／創元社）。

会話では、「相手がよくわかる言葉」を選びます。職場で取引先の人と話す言葉を、地域や家庭で子どもと話すときに使うと、子どもは理解できません。

逆に、子どもに話す言葉を仕事上の取引先の人に使えば、稚拙な印象を与えます。

「言葉は相手に合わせる」ことが大切です。

×悪い例

来店客「温かいコーヒーをひとつお願いします」
店　員「はい、ホットですね」

○良い例

来店客「温かいコーヒーをひとつお願いします」
店　員「はい、温かいコーヒーですね」

悪い例 では、お客さまが言った言葉を店員は自分がいつも使っている言葉に置き換えています。

良い例 では、お客さまが言った言葉をそのまま繰り返しています。**お客さまに寄り添っており、スムーズに会話が進みます。**

1 専門用語は説明を加える

テレビのバラエティ番組等で専門家がコメントをする際に、何を話しているのかを理解できないことがあります。

おもな理由は、
「難解な専門用語が頻出している」
「前提となる知識が相手（視聴者）にない」
からです。

株式会社GiXo取締役CMSOの田中耕比古さんは、『一番伝わる説明の順番』（フォレスト出版）の中で、**「専門家の話がわかりにくいのは、『聞き手がどういうレベルで物事を理解したいのか』を見極**

められていないことが原因」と述べています。

専門外の人と話す場合は、事前に、「どういう内容を知りたいと思っているのか」を聞いておきます。直接聞けない場合は、会話をする中で様子を見ながら、「通じる言葉・通じない言葉」「理解度」を見極めていきます。

プレゼンや取引先との打ち合わせにおいても、自分たちが当たり前に使っている専門用語を使ってしまうと、相手が理解できずに、話が円滑に進まない事態になります。

相手が前提となる知識を持っているとわかっている場合を除き、

「専門用語はなるべく使わない」

「専門用語を使う場合は、説明を補足する」

ようにします。

また、おもに業界内だけで使われている言葉があります。

いわゆる業界用語です。業界用語は、その言葉がわかっている業界の中だけで使い、それ以外は、ほかの言葉に言い換えるようにします。

×悪い例

「原稿の25ページの３行目は、まるごとトルツメしましょうか？」

○良い例

「原稿の25ページの３行目は、まるごと削除して、空いた部分はつめましょうか？」

「トルツメ」とは、校正（原稿の不備を正す作業）用語で、「不要な部分を取ってつめる」ことです。出版業界でしばしば使われる言葉です。**悪い例** では、出版業界のことを知らない人には意味が通じません。

良い例 では、「トルツメ」をわかりやすい言葉に置き換えて説明しています。

専門用語や業界用語などを使う場合は、自分が正しく理解していることが前提です。

自分が理解できていないと、相手に正しく説明することもできません。

2 同音異義語はわかりやすい言葉に置き換える

同音異義語は、混乱を招きそうな場合、会話では言い換えが必要です。

◉同音異義語……発音が同じで、意味の違う語のこと。

×同音異義語のわかりにくい例1

「明日、キコウしたいと思います」

- 起工……工事を始めること。
- 寄稿……原稿を新聞や雑誌などに載せるように送ること。
- 寄港……航海の途中で船が港に寄ること。

×同音異義語のわかりにくい例2

「Aさんが、シジされたみたいだね」

- 指示……物事をそれとさし示すこと。
- 支持……他人の意見に賛成し、後押しをすること。
- 師事……師として仕えること。

前後の話の流れでわかる場合を除き、同音異義語を使う場合は、言葉や説明を補足します。

3 カタカナ語は多用しない

仕事の会話では、カタカナ語が頻繁に使われています。しかし、相手が意味を理解していない場合もあります。

◉カタカナ語……カタカナで表記される語のこと。すでに日本の生活に根付いている外来語も含まれる。

お互いに意味を理解しているときだけ、カタカナ語を使うようにし、意味が通じていない場合はほかの言葉で説明します。

ビジネスで使われるカタカナ語の一例

カタカナ語	日本語
アカウンタビリティー	説明の義務、責任
アサイン	割り当てる、任命する
ガイドライン	指針、目安
ギミック	工夫、仕掛け
キャパシティ	収容能力、受容力、定員
コミットメント	関与、確約、誓約
コンセンサス	合意
コンテンツ	内容、中身、作品
コンプライアンス	法令遵守
シーズ	企業が持つ「技術」「ノウハウ」「人材」「設備」など
シナジー	相乗効果
スペック	仕様書
ソリューション	問題解決の手段、方法
タイト	余裕がない、緊迫した、ぴったりした
デフォルメ	誇張、対象を変形して表現すること
ナレッジ	知識、情報
ニッチ	市場のすき間
バイアス	偏見、先入観
パラダイム	枠組み
パラドックス	逆説
プライオリティー	優先順位
プロパー	正式な、生え抜きの社員、正社員
マター	担当、問題
モラルハザード	倫理の欠如
ユニバーサルサービス	全国均質サービス
リスクマネジメント	危機管理
リテラシー	知識、教養
レギュレーション	規則、規定
レジュメ	要約、履歴書

16位 悪口は言わない、聞かない、関わらない

Point

1 悪口には同調しない

2 なるべく別の話題をふる。場を離れる

16位は「悪口は言わない、聞かない、関わらない」です。

会話のプロたちのベストセラーには、

「悪口を言わない」

「愚痴や不満は言わない」

「人の噂話に関わらない」

といった意見が多くありました。

◉悪口……人を悪く言うこと。また、その言葉。

◉愚痴……言っても仕方ないことを言って嘆くこと。

◉噂……そこにいない人を話題にしてあれこれ話すこと。

なぜ、人は悪口を言うのでしょうか。理由としては、「自信のなさ」「ストレス解消」「悪口や批判が趣味」などが挙げられていました。

ではなぜ、悪口を言わないほういいのでしょうか。

他人の悪口を言うと、人間関係が悪くなるだけでなく、健康にも影響を及ぼすからです。

「ストレスホルモンが増える」
「悪口をいい続けると、認知症などの病気になるリスクが高まる」
「人間関係が悪化する」
「悪いところ探しの名人となる」（樺《かば》沢《さわ》紫《し》苑《おん》『学びを結果に変えるアウトプット大全』／サンクチュアリ出版）

星渉さんは、「他人の悪口を言わないほうがいい」科学的な根拠を紹介。アメリカで行われた実験の結果として、**「他人のことを積極的に褒める『ポジティブ・ゴシッキング（前向きな噂話）』をする人ほど、相手から親密感を持たれる傾向にある」「第三者のネガティブな噂を流す人は嫌われる」**（『神トーーク』／KADOKAWA）という結果が出ていると記しています。

悪口は「百害あって一利なし」。他人の悪口は言わないようにします。

1 悪口には同調しない

やっかいなのは、自分では悪口を言わないようにしていても、ほかの人から、そこにいない人の悪口を聞かされることです。

そうした場合の対応のポイントは、**相手が悪口を言い始めても、否定も肯定もしないこと。**「そうなんですか」「そうだったの」「そっか」「そうなんだ」と聞きます。
間違っても、「そうですよね」と同調したり、一緒に悪口を言い始めてはいけません。

斎藤茂太さんは、『いい言葉は、いい人生をつくる』（成美堂出版）の中で、「**あなたは、悪口をいい合った相手を、その後も絶対的に信用できるだろうか。私は『いまは自分の言葉にあいづちを打っているけれど、席が変われば、今度はオレの悪口にあいづちを打つのではないか』と疑心暗鬼にかられ、相手を信用できなくなってしまう**」と、悪口で失う信用について語っています。

2 なるべく別の話題をふる。場を離れる

悪口は、同調する人がいると、どんどん内容が過激になっていく傾向にあります。会話のプロたちは、周囲の人が悪口で盛り上がりそうになったときには、**「別の話題をふる」「話題をそらす」**ことをすすめています。

精神科医の片《かた》田《だ》珠《たま》美《み》さんは『賢く「言い返す」技術』（三笠書房）の中で次のように述べています。

「向こうが一方的にグチばかり言い続けるようなら、『そうなんだ』『そっか』というふうに相づちを打ってから、『そういえば』と続けて、自分の話したいことを話す」

「それを何度も繰り返せば、相手もさすがに『これは、私のグチをいやがってるな』と気づくかもしれない」

もし、隣の席に座っていて、悪口が長く続きそうなときには、

「トイレに行ってくる」

「用事を思い出したので」

と言って、**その場からは離れるのも手**です。

大切なのは、「悪口」という話題、「悪口ばかり言う人」から離れることです。

福田健さんは、『女性は「話し方」で９割変わる』（経済界）の中で、**「会話に悪口はつきもの、これを禁じるのは無理である」**として、悪口を言いたいときの心得について述べています。まとめた上で紹介します。

• 度を越えない

度が過ぎた悪口（悪意を持った激しい悪口）は慎む。聞き手から「そうよね」「それはないよ」と返ってくる範囲にとどめる。

• 悪口を聞いてくれる相手を選ぶ

ライバルの悪口は職場の同僚にはしない。親しい女友達にする。

17位 身振り、手振りを加える

Point

1. プレゼンではボディーランゲージを意識する
2. ミラーリングで波長を合わせる
3. ジェスチャーはやりすぎない

話し方の名著の中には、**「身振りや手振り（ジェスチャー）」を加えると、より「相手に伝わる」「わかりやすい」「説得力が高まる」**と述べている本が19冊ありました。なぜ、「身振り」「手振り」を加えると伝わりやすくなるのでしょうか。

「『会話の内容』よりも、『話し方』や『ボディーランゲージ』のほうが印象に残る」とする法則があります。

> ◉ボディーランゲージ……身振り、手振り、顔つきなど。外見、服装などを含むこともある。

なかでも名著に多く紹介されていたのが、カリフォルニア大学ロサンゼルス校のアルバート・メラビアン教授による「メラビアンの法則」です。

「メラビアンの法則」では、会話を「バーバル（言語的）」「ノンバーバル（非言語的）」の２つに分け、

- **バーバル　　　「話の内容（言語情報）」……７％**
- **ノンバーバル「話し方（聴覚情報）」……38％**
  「ボディーランゲージ（視覚情報）」……55％

の比率で相手に伝わる、としています。

メラビアンの法則

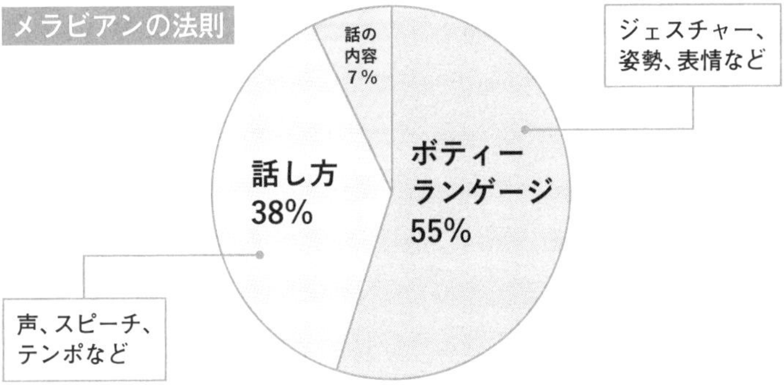

メラビアンは実験で、言語情報・聴覚情報・視覚情報の３要素に矛盾が生じた場合に、ノンバーバルの要素が相手にもっとも印象を与えることを明らかにしました。

つまり、「笑いながら叱る」と、「叱っている」内容よりも、見た目の「笑っている」印象が強くなり、「本気で叱っていない」と思われてしまうのです。

1 プレゼンではボディーランゲージを意識する

インサイトラーニング代表の箱田忠昭さんは、「**相手に好印象を与えるかどうかは、話し方とボディーランゲージではほとんど決まってしまうということである**」とし、「**プレゼンではボディーランゲージの方が重要**」（『「できる人」の話し方＆コミュニケーション術』／フォレスト出版）と述べています。

話の内容はもちろん大切です。しかし、おどおどした態度で、下を向き、ぼそぼそした話し方では、印象に残りにくくなってしまいます。とくに**プレゼンなど人前で話すときは、体を使って話すことを意識します。**

また、『スティーブ・ジョブズ 驚異のプレゼン』（カーマイン・ガロ／日経BP）では、シカゴ大学のデイビッド・マクニール博士が発見した、しぐさと言葉の関係について次のように記しています。

「身ぶり手ぶりを使ったほうが考えがまとまり、プレゼンテーションでいいしゃべりができる。逆に体を動かさずにいようとすると、意外なほど注意力を取られてしまう」

プレゼンで身振り手振りをすることは、自分にとってもメリットがあるのです。

2 ミラーリングで波長を合わせる

話していると波長の合う人、合わない人がいます。「波長が合う」とは、お互いの気持ちが通じ合っている状態のことです。

相手と波長を合わせたいときは、「ミラーリング」の技術を使います。ミラーリングとは、**鏡に映したかのように相手の動作を真似る**こと。相手がコーヒーカップを手に取ったら、自分もさりげなく手に取る。あくびをしたら、自分もあくびをします。

真似をすることで、波長を合わせることができます。

3 ジェスチャーはやりすぎない

ジェスチャーは、あくまでも「自然に」が基本。やりすぎると、落ち着きなく思われます。ただし、**「ちょうどいいジェスチャーの大きさは、聴衆の数に比例する」**といわれます。聴衆が多いときは、大げさにジェスチャーをします。

ここからは、会話のプロたちの本の中から、代表的なジェスチャーと要注意のジェスチャーを紹介します。

代表的なジェスチャー

- 「ポイントは3つあります」と説明する場合
  「3つあります」のところで、指を3本立てて、口の前で見せる。出した手を静止させる。

- 誰かを指したい場合
  指を揃えたまま、手のひらを上に向けて、突き出す。

要注意のジェスチャー（姿勢を含む）

×服や髪、時計や指輪などに手をやる→相手の注意が指先に移ってしまう。落ち着きなく思われる。
×首から上に触れながら話す→「自信がない」「やましいところがある」というメッセージになる。
×ポケットに手を入れる→無気力で無関心に見える。
×腰に手を当てる→挑戦的に見える。
×腕組み→何かを拒否する挑戦的な態度に見える。

18位 相手の話をさえぎらない

Point

1 話は最後まで聞く

2 会話の「横取り」をしない

18位は「相手の話をさえぎらない」です。会話のプロたちの本の中では、「割り込まない」「奪わない」という表現も使われていました。

会話では、途中でさえぎったり、割り込んだりせずに、相手の話を最後まで聞くことが大切です。

1 話は最後まで聞く

14位では、上司や目上の人の話をさえぎらないことを紹介しました。しかし、部下であろうと、初対面であろうと、「話は最後まで聞く」「話を途中でさえぎらない」のが基本です。

ヤフー株式会社常務執行役員の本間浩輔さんは、『ヤフーの1 on 1』（ダイヤモンド社）の中で、上司が部下の話を聞くのに集中することで、「（部下は）**語ることによって、だんだん自分の考えが明瞭になり、深まっていく**」と、最後まで話を聞くことのメリットについて述べています。

「話を最後まで聞く」と、ほかにも次のメリットがあります。

- **会話が盛り上がる。**
- **相手から好感を持たれる。**
- **考える部下が育つ。**
- **人気者になれる。**
- **安心感を与えられる。**

◆さえぎり行為の一例（NG例）

- **割り込んで話題を変える**

相手の話の途中に、「ところで」「そんなことより」「それよりも」と言って、割り込み、話題を変えようとする。

- **最後まで聞かずにまとめる**

相手の話を最後まで聞かずに、「それって、つまり、○○ということでしょう？」とまとめて先に進めようとする。

- **話の途中で質問をする**

相手が話している最中に、気になったところを「どういうこと？」と質問する。

- **話を横取りする**

相手が話題を提供して話し始めたのに、「そうそう！」「観た観た」と口をはさみ、話を横取りする。

相手の話を聞いたあとに質問をしたい場合は、
「相手の話が終わったあと、３秒ほど時間を置いてから」
にします。

自分の話をしたい場合には、相手の話が終わったあとに、「そういうことがあったんだね」と受け入れ、「私の話も聞いてくれる？」

と言って、相手からOKが出たら話し始めます。

2 会話の「横取り」をしない

雑談をしているときには、共通点を見つけると話が盛り上がります。初対面であれば、なおさらです。

共通点が見つかると、つい「私も」「僕も」「私は」「俺が」と言って自分の話をしたくなります。

ここで横取りしてしまうのです。

そもそも「共通点」を探すのは、「相手を知りたい」「相手の話を聞きたい」からです。

相手が先に提供した話題のときには、途中で会話を奪わず、相手中心に話してもらうようにします。

×悪い例

相手「週末はガーデニングをして過ごしています」
自分「そうなんですか！　私もガーデニングが趣味です」
相手「気が合いますね。どんな植物を育てているんですか」
自分「ハーブ類が多いですね。お料理にも使えますから」

〇良い例

相手「週末はガーデニングをして過ごしています」
自分「そうなんですか！　私もガーデニングが趣味です。どんな植物を育てているんですか？」
相手「いろいろです。いまはハイビスカスとブーゲンビリアが盛りで、庭だけ見ると南国みたいですよ」

悪い例 では、相手が「ガーデニング」の話題を提供し、話そうとしているのに、「私も」と同調して話を奪い、自分の話にしてしまっています。

良い例 では、同調したあとに質問を返したことで、会話の中心が相手になっています。

もし、**自分が会話の中心になって話していたときには、話し終わったあとに、「あなたは？」と聞くようにします。**

会話は、相手とつくり上げていくものです。インタビューやプレゼンなどをのぞいて、どちらか一方だけが聞き手、どちらか一方だけが話し手、という状況は避けるようにしましょう。

ただし、話にまとまりがなく、長く話す人もいます。河野英太郎さんは、『99％の人がしていないたった１％の仕事のコツ』（ディスカヴァー・トゥエンティワン）の中で、そのような場合の「相手の感情を逆なでせず戦略的に話の腰を折るコツ」を３つのステップで提案しています。まとめた上で紹介します。

相手の感情を逆なでせず戦略的に話の腰を折るコツ

①「なるほど、○○なんですね」と話題に入る。

②「確認ですが、△△ということでよろしいですか？」と確認しながら相手の話を整理する。

③「なるほど、△△が□□ということですね！　さて、話は変わりますが……」と話の内容を整理し、締めの一言を添える。

19位

要点は絞ったほうが伝わる

Point

1 話の焦点(テーマ)はひとつにする

2「○○は3つあります」をログセにする

言いたいことがたくさんあると、つい、あれもこれも話したくなります。プライベートであれば、それもいいかもしれません。しかし、**仕事では、要点はできるだけ絞って伝える**のが話し方の基本です。

会話のプロたちが考える「要点を絞って伝えるメリット」をまとめると、次の３つになります。

◆要点を絞る３つのメリット

- **印象に残りやすい。**
- **相手が覚えやすい。**
- **課題や論点を絞り込むことで、時間を有効活用できる。**

1 話の焦点(テーマ)はひとつにする

人前で説明するときは、焦点やテーマをひとつに絞ります。

小《こ》林《ばやし》康《やす》夫《お》さんと船《ふな》曳《びき》建《たけ》夫《お》さんによってまとめられた、東京大学教養学部のサブテキスト『知の技法』（東京大学出版会）では、「**口頭発表においてなによりも重要なポイント**」として、「**焦点のはっきりした内容を話すこと**」を挙げ、「**聞き手にこれだけは記憶してもらいたいということはなにか、その趣旨をできるだけ簡潔明瞭にまとめてごらんなさい**」と記しています。

中谷彰宏さんは『面接の達人　バイブル版』（ダイヤモンド社）の中で、「**ネタは１つに絞ることだ。『どの１つにしていいかわからない』というのなら、１つに絞る基準は、一番面白い話で、しかも、自分のアピールになる話にすること**」と言っています。

人前での発表でも、面接でも、「これだけは記憶してもらいたい」ことだけを話すのが大切です。

ひとつに絞る方法については、次の本にヒントがありました。
「**『聞き手はなぜ、このアイデア／情報／製品／サービスに注意を払うべきなのか』と自問すること。会話が終わったとき聞き手に覚えておいてほしいポイント、それをひとつだけ挙げるとしたら何だろうか**」（カーマイン・ガロ『スティーブ・ジョブズ 驚異のプレゼン』／日経BP）

プレゼンなどで、複数のテーマについて話をしたいときにも、無理はしないようにします。
ジャーナリストの池上彰さんは、
「**プレゼンテーションで与えられた時間が三分や五分、あるいは一五分ぐらいあっても、同様に、話すテーマは一つで充分です**」

（『伝える力』／PHP研究所）と述べています。

15分で複数のテーマを話そうとすると、「消化しきれずに散漫になってしまう」からだそうです。

2「○○は3つあります」をログセにする

話を進める際にも、ポイントを絞った説明が大切です。

どれくらい絞ればいいのでしょうか。

話し方のプロたちの意見をまとめると、「3つ」です。

「○○は3つあります」といったまとめ方を耳にすることは、少なくありません。

コンサルタントの多くや、アマゾンのジェフ・ベゾス、アリババのジャック・マーといった**世界のトップエリートたちも、「○○は3つあります」をログセにしています。**

なぜ、「3」なのでしょうか。

岡本純子さんは、「**3が多すぎず、少なすぎない、ちょうどいい『マジックナンバー』だからです。『過去、現在、未来』『金銀銅』など、『3』は座りのいい数として、昔から重用されてきました**」（『世界最高の話し方』／東洋経済新報社）と理由を述べています。

戸塚隆将さんは、「**主張点をバックアップする根拠や理由は、少なすぎても、多すぎても、効果は半減します。1つでは少なすぎ、5つでは多すぎます。結論メッセージを支えるポイントは3つが適当です**」（『世界のエリートはなぜ、「この基本」を大事にするのか？』／朝日新聞出版）と記しています。

「○○は３つあります」の○○には、「理由（根拠）」や「メリット」「ポイント」「課題」などが入ります。

「○○は３つあります」の使用例

● 結論

「□□□の結論は□□□です」

● 理由

「理由は３つあります。
ひとつ目は、□□□です。
２つ目は、□□□です。
３つ目は、□□□です」

● 結論、まとめ

「したがって、□□□の結論は□□□です」

「ポイントは３つあります」「理由は３つです」と話すと、**聞くほうは「聞く準備」をしやすくなります。**

伊藤羊一さんは、**「講演なら、『理由は３点あります』と、指を３本出して伝えた瞬間、聞いている人たちは、手元を動かし、ノートにメモを始めるのです」**（『１分で話せ』／SBクリエイティブ）と述べています。

20位 会話もプレゼンも「導入」がキモ

Point

1 相手が「聞いてみたくなる」話をする

2 「私はスピーチが苦手です」は言わない

20位は「会話もプレゼンも『導入』がキモ」です。

話し方のプロたちは**「前振りを大事にする」「出だしが非常に重要」「つかみが大事」**などの表現で、

「会話の最初の部分（＝導入）の大切さ」

に触れています。

◉前振り……本題に入るきっかけとしての話。
◉つかみ……観客を引きつけるために最初に話すことがら。

なぜ、会話では導入が大切なのでしょうか。

おもな理由は、次の４つです。

◆導入が大切な４つの理由

- **聴衆の頭が冴えており、印象を受けやすい。**
- **一番集中している時間に、聴衆の心をつかむことが大事。**
- **最初に心をつかんでおくと、あとがやりやすい。**
- **相手の期待感が高まる。**

前振り（導入）のない例

「今度、ごはんでも食べに行かない？」

前振り（導入）のある例

「渋谷にアフタヌーンティーセットの美味しい店があるんだよ。
３〜４種類のケーキはどれも甘さ控えめで美味しいし、サンドイッチも絶品。グルメ番組でも紹介されてたよ。
よかったら、今度食べに行かない？」

前振り（導入）のある例 のうち、最初の３行が「前振り」部分となります。

デートに誘ったり、友人を誘ったりするときに、前振りがあると、相手は期待感が高まり、肯定的な返事をもらいやすくなります。

1 相手が「聞いてみたくなる」話をする

スピーチやプレゼンテーションの場合は、冒頭で何を話すか、あらかじめ決めておくことが大切です。

中谷彰宏さんは、『なぜあの人は人前で話すのがうまいのか』（ダイヤモンド社）の中で、**「スピーチの時、これで入って、これで終わるということだけ決めておけば、安心です。何から入るかが決まっていると、余裕をもって壇上へ行けます。壇上へ行ってから、何から話そうと目が泳いでしまうと、流れに乗れずに、うまくい**

きません」と述べています。

百田尚樹さんは、『雑談力』（PHP研究所）の中で、「**大切なのは話のきっかけです。最初の一言で、周囲の人に『お、その話を聞いてみたいな』と思わせることができるかどうかです**」と述べています。

百田さんは、「**トラとライオンが戦ったら、どちらが強いかと昔から言われているが――**」という話から入ることがよくあるそうです。

では、導入ではどのような話をすればいいのでしょうか。話し方のプロたちの意見をまとめると次のようになります。

冒頭（導入）にふさわしいテーマ

- その日にあったばかりのエピソード

「今日、ここに来るまでの間に30代くらいの女性とすれ違って……」

- 人から聞いたばかりの話

「昨日、友人から聞いた話です」

- 本題に関連する話題

ユーモア…場が盛り上がるおもしろいネタを用意しておく。
サプライズ…「想定外」の話は記憶に残りやすい。
質問から入る…人は質問をされると、答えようとする性質があるため、話に興味を持つ。
告白…「実は私、○○なんです」はおもしろい導入となる。
言葉の引用…印象に残る言葉を引用する。

「相手が聞いてみたくなる話」「相手が関心を寄せる話」をすることが大切です。

2 「私はスピーチが苦手です」は言わない

話すのが苦手でも、
「私はスピーチが苦手です」
「突然のご指名で」
などは、言わないほうがいいと、話し方のプロたちはアドバイスしています。
言い訳に聞こえてしまうからです。

◆冒頭で言わないほうがいいフレーズ

「若輩者が諸先輩を差しおきまして」
「みなさんの一段高いところから」
「私はスピーチが苦手でして」
「突然のご指名で」
「（初対面の挨拶で）弊社は創業○○年の会社でして」（会社のことより先に、自分の話をする。ただし、経営者なら会社の話から始めてOK）

Column

「話し方」本の選び方

◆「身につけたい話し方」の本を選ぶ

本書を書くにあたっては、前著『「文章術のベストセラー100冊」のポイントを1冊にまとめてみた。』同様、「話し方」の本のリサーチから始まりました。

アマゾンの「本」カテゴリーで「文章術」のキーワードを入れて調べたときに、「検索結果3,000以上」と出ました。ずいぶんたくさんあると思いました。今回「話し方」についても調べたところ、「検索結果10,000以上」と出ました。

想像を超える多さでした。

「話し方」の本を書いているのは、アナウンサー、マナー講師、心理カウンセラー、経営者、元政治家、コピーライター、トップセールスマン、人気YouTuber……といろいろな肩書の方です。

切り口は、「雑談」「説明のやり方」「伝え方」「プレゼンでの話し方」など、こちらも多彩。このような中で、自分に合った本を選ぶにはどうしたらよいでしょうか。ポイントは3つです。

・本の選び方のポイント

①「どんな状況の話し方が知りたいのか」を明確にし、目的に合った肩書の著者を選ぶ

②「好きな話し方の著者」の本を選ぶ

③とにかく「話し方」本に触れたいなら「雑談」本

①「どんな状況の話し方が知りたいのか」を明確にし、目的に合った肩書の著者を選ぶ

まず、前著のコラムでも書いたように、「目的を明確にして、自分が求める話し方のジャンルで活躍している人の本を選ぶ」ことが大切です。

アナウンサーのような話し方をしたいのであれば、アナウンサーが書いた本を選ぶ。

プレゼンで説得力のある話し方をしたいのであれば、プレゼンに強そうなコンサルタントが書いた本にする。

話し方のマナーを中心に知りたいのであれば、マナー講師が書いた本を見る。

それが、ほしい「話し方」本を見つける近道です。

肩書やプロフィールをよく見て選ぶとよいでしょう。

本書で取り上げた本の一部を肩書別にまとめましたので、参考にしてください。

ジャーナリスト		
『伝える力』	池上彰	PHP研究所

話し方教室等主宰		
『大人なら知っておきたい モノの言い方サクッとノート』	櫻井《さくらい》弘《ひろし》（監修）	永岡書店
『人は「話し方」で9割変わる』 『女性は「話し方」で9割変わる』	福田健	経済界

経営者		
『儲かる会社の コミュニケーションの鉄則』	小《こ》山《やま》昇《のぼる》	朝日新聞出版
『ヤフーの1on1』	本間浩輔	ダイヤモンド社

ビジネスマナー講師		
『入社1年目ビジネスマナーの教科書』	金森たかこ(著) 西出ひろ子(監修)	プレジデント社
『話し方のマナーとコツ』	杉山美奈子(監修) 伊藤美樹(絵)	学研

心理学者、精神科医・カウンセラー等		
『察しない男 説明しない女』	五百田達成	ディスカヴァー・ トゥエンティワン
『賢く「言い返す」技術』	片田珠美	三笠書房
『人を傷つける話し方、 人に喜ばれる話し方』	渋谷昌三	ワック
『「人たらし」のブラック心理術』	内藤誼人	大和書房
『プロカウンセラーの聞く技術』	東山紘久	創元社
『マンガ版 ちょっとだけ・こっそり・ 素早く「言い返す」技術』	ゆうきゆう(著) Jam(マンガ)	三笠書房

アナウンサー		
『たった１日で声まで良くなる 話し方の教科書』	魚住りえ	東洋経済新報社
『話すチカラ』	齋藤孝 安住紳一郎	ダイヤモンド社
『なぜ、この人と話をすると 楽になるのか』	吉田尚記	太田出版

作家・タレント		
『聞く力』	阿川佐和子	文藝春秋

コピーライター		
『伝え方が９割』	佐《さ》々《さ》木《き》圭《けい》一《いち》	ダイヤモンド社

また、一人の著者が、「説明のやり方」「質問術」「雑談」「語彙力」など、テーマを変えて本を書いているケースも多く見られました。

そうした場合も、あくまで自分が上達したい「話し方の場面」に合うものを選ぶとよいでしょう。

②「好きな話し方の著者」の本を選ぶ

本書で取り上げた本の著者には、テレビでよく見かけるアナウンサーやジャーナリストなどの著名人が多くいました。

自分が、

「この人の話し方は理解しやすい」

「この人のような話し方になりたい」

「この人の話し方は楽しい」

「この人の話し方は、妙に説得力がある」

と思う人の本を選ぶのも手です。

テレビには出ていなくても、「YouTube」などにチャンネルを持っている方も少なくありません。

本書で取り上げた本の著者の方も、インターネットの動画チャンネルを持っていたり、自分のチャンネルではなくても、ゲスト出演していたりします。下記に実際に動画のチャンネルを持っている方、チャンネルはなくても動画出演を確認できる方を一覧にしました（一部）。気になる「話し方」本の著者がいたら、動画を探してみるのもいいでしょう。

インターネットの動画チャンネルのある方（動画で話し方を見られる方）		
伊藤羊一さん	鴨頭嘉人さん	中谷彰宏さん
魚住りえさん	佐々木圭一さん	三《み》浦《うら》崇《たか》宏《ひろ》さん
樺沢紫苑さん	諏《す》内《ない》えみさん	和田裕美さん

③とにかく「話し方」本に触れたいなら「雑談」本

目的ははっきりしていないけど、なんとなくコミュニケーション力向上のために「話し方」本を読みたい。

あるいは、SNSでのコミュニケーションが増える一方で、直接のコミュニケーションは減っている今、会話力に自信がなくなってきた、という方もいます。

そんな方は、「雑談力」向上系の本を選んでみるのもいいでしょう。具体的な雑談の事例が出ている本も多くあります。

本書の中で選んだ「雑談力」向上系の本は下記です。

「雑談力」だけに、気楽に読めるのもいいところ。

ネットの書店で「試し読み」できる本もありますので、気になった本から読んでみてください。

雑談力向上系の本		
『超雑談力』	五百田達成	ディスカヴァー・トゥエンティワン
『雑談の一流、二流、三流』	桐生稔	明日香出版社
『雑談力が上がる話し方』	齋藤孝	ダイヤモンド社
『誰とでも15分以上会話がとぎれない！ 話し方66のルール』	野口敏	すばる舎
『雑談力』	百田尚樹	PHP研究所
『超一流の雑談力』 『超一流の雑談力 超・実践編』	安田正	文響社

Part.3

コミュニケーション力を さらに高めるための 「20のコツ」

ランキング 21〜40位

21位

スピーチは「準備」が9割

Point

✓ 伝えたい内容を事前に整理しておく

講演家、アナウンサー、セミナー講師など、スピーチのプロの多くは、「事前準備の大切さ」を強調しています。

「準備されたスピーチは、話し手がごく自然に語っているように感じられるということです。スピーチは準備がよくできた段階で、すでに9割方は成功なのです」（D・カーネギー『話す力』／新潮社）

事前準備のポイントは、次の４つです。

（1）伝えたい内容を整理する

- 「相手に有益な情報」「相手が求めている情報」をまとめる。
- 伝えたい内容の裏付けとなる「数字、データ、客観事実」を可能な限り集める。説明する情報の精度を高める。

評論家の藤《ふじ》沢《さわ》晃《こう》治《じ》さんは、『「分かりやすい説明」の技術』（講談社）の中で、**「説明とは、情報をただ与えることではなく、情報を事前に整理、加工して聞き手に渡す」**ことであると指摘しています。

(2) スピーチの原稿をつくる

- 書き言葉ではなく「話し言葉」で原稿を作成する。
- 原稿を何度も読み上げる。流れが把握できたら、「トピック」「必ず伝えたい情報」「キーワード」を箇条書きしておく。
- スピーチ中は、「箇条書きメモ」を参考に話を進める(33位を参照)。

(3)「想定される質問」を考えておく

- 「このプレゼン(スピーチ)を聞いた人は、どんなことに疑問を持つだろうか」を考え、答えを用意しておく。

(4) スピーチの練習をする

- 誰かに聞いてもらう。
  ……「早口だった」「この部分は変えたほうがいい」など、客観的なアドバイスがもらえる。
- 実際の会場や、似た場所で練習する。
  ……声の大きさ、視線の高さなどを意識した練習ができる。
- 録画、録音をする。
  ……姿勢、表情、話し方のクセを確認できる。
- 時間をはかる。
  ……時間をオーバーした場合は「省略できるところがないか」、短い場合は「早口になっていないか」をチェックする。

スピーチやプレゼンを成功させたければ、準備に時間をかけることです。**準備が整っていれば、緊張することも、頭が真っ白になることもなく、自信を持って話ができます。**

22位 素敵な人間関係は素敵な挨拶から

Point

✓ 明るく、大きな声で、自分から先に声をかける

人間関係は、「挨拶」から始まります。挨拶は、「人の心と心をつなぐきっかけ」であり、誰でも、誰とでも簡単にできるコミュニケーションです。

話し方の名著に書かれていた「挨拶のメリット」をまとめると、以下になります。

◆挨拶のおもなメリット

- **相手からの印象が良くなる。**
- **社会常識のある人だと思われる。**
- **相手に信頼感、安心感を与える。**
- **相手の承認欲求を満たす。**

好感を持たれる挨拶の基本は、次の４つです。

◆上手な挨拶の基本

（1）自分から先に挨拶する

「される」のを待つのではなく、自分から先に声をかけます。自分から挨拶をすれば、「あなたに心を開いています」という姿勢を示すことができます。

マナー講師の金森たかこさんは、次のように述べています。

「挨拶の『挨』には心を開く、『拶』には相手に近づく、という意味があります。あなたから心を開いて、先手で相手に近づくことが挨拶です」（『入社１年目ビジネスマナーの教科書』／プレジデント社）

（2）笑顔で明るく挨拶する

つまらなさそうに挨拶をすると、反感を持たれることがあります。ハキハキと明るい声で挨拶をしましょう（笑顔が苦手な人は、口角を上げると表情がやわらかくなります）。

（3）相手の目を見て挨拶する

視線を外しながら挨拶をすると、相手は「私のことが嫌いなのかな」「無理やり挨拶をしているのかな」と不安になります。

（4）プラスのひと言をつけ足す

挨拶のあとにひと言（ワンフレーズ）プラスすると、会話が進みやすくなります。

例文

「おはようございます」

↓（ひと言プラス）

「おはようございます。昨日のプレゼン、お疲れさまでした」

「笑顔で、相手の目を見て、自分から挨拶する」のが基本です。

23位 練習で、誰でも話し上手・伝え上手になれる

Point

✓ お手本を見つけて、その人の話し方を真似る

会話力、雑談力を上げるために必要なのは、**才能でも能力でも素質でもなく、「練習」です。**練習すればするほど、誰でも伸ばすことができます。

明治大学教授でコメンテーターとしても活躍する齋藤孝さんも、**「『話し下手、口下手は生まれつき。だから雑談力なんてそう簡単には身につかない』というのは大きな間違い。雑談力は先天的な能力ではありません」**（『雑談力が上がる話し方』／ダイヤモンド社）と述べています。

名著100冊の中から、話し方のプロたちが実践している練習方法を３つ紹介します。

◆プロがすすめる「練習方法」

（1）ロールモデルを探してモノマネをする

「この人のように話してみたい」「この人の話し方が好きだ」というロールモデル（お手本になる人物）を探し、その人の声の高さ、スピード、間の入れ方などを真似します（気づいたポイントをメモに書き出しておく）。

真似をするときは、

「録音して、あとで聞き直す」
あるいは、
「他人に聞いてもらう」
と、再現度を確認できます。

(2) 落語から学ぶ

齋藤孝さん、阿川佐和子さん、池上彰さんなど、「落語」を通じてコミュニケーションを学んだ人もいます。「中小企業経営のカリスマ」と称される小山昇さんもそのひとりです。

「落語を何度も聴き、真似《まね》をするうちに、声の大きさ、息継ぎのしかた、間《ま》やテンポの取り方が少しずつわかってきて、話し方に自信が持てるようになりました」(『儲かる会社のコミュニケーションの鉄則』/朝日新聞出版)

(3) 新しいネタをインプットしたら、すぐに使う

雑談上手、会話上手になるには、話題を増やすことも大切です。新しいネタやおもしろいフレーズを仕入れたら、すぐに他人に話してみる。人に話すことによって、記憶に定着します。

一流のスピーカーは、生まれながらに一流だったわけではありません。一流になるべく、練習を積んでいます。

世界的に有名な自己啓発の大家《たいか》、D・カーネギーの言葉を借りれば、**「人前で自信を持って話せるようになる唯一確実な方法は、話し方の練習を重ねること」**(『話す力』/新潮社)なのです。

24位

比《ひ》喩《ゆ》、たとえ話で わかりやすくする

Point

☑「相手が理解しているもの」にたとえる

比喩やたとえ話を用いると、聞き手に具体的なイメージを湧かせることができます。比喩とは、

「ほかのものにたとえて表現する」

ことです。

◆比喩・たとえ話の効果

- **興味を引きつける。**
- **聞き手の理解をうながす。**
- **説明をわかりやすくする。**
- **意味を強調できる。**

「『これから私が説明しようとしている事は、あなたがすでに知っているあの例と同じですよ』というのが比喩です」（藤沢晃治『「分かりやすい説明」の技術』／講談社）

例文

「会話とは、聞き手と話し手が言葉を交換することです」

➡「会話はキャッチボールです」

例文

「うちの家族はおじいちゃんとおばあちゃんがいて、父と母と、兄弟は三人で、あと姉の家族も一緒に住んでいて、とっても賑やかです」

➡「うちの家族はまるでサザエさんですね」

（桐生稔『雑談の一流、二流、三流』／明日香出版社）

ＡをＢにたとえるときは、相手が「Ｂを知っている」ことが前提です。

一般的な事象、あるいは、相手の知識の範囲内にある事象でたとえます。

例文１

「クルマが《A》 飛ぶ《B》ような速さで通り過ぎた」

例文２

「クルマが《A》 マックス・フェルスタッペン《B》のような速さで通り過ぎた」

聞き手を選ばないのは、**例文１** です。

例文２ の比喩「マックス・フェルスタッペン」は、レーシングドライバーの名前です。自動車レースの世界で一流だからといって、一般的にも知られているとは限りません。マックス・フェルスタッペンを比喩に使うのであれば、聞き手が「話し手と同じくらいレース（F1）の知識を持っている」ことが前提です。

25位 自己開示は「自分から」

Point

✔ 自分から先に自己開示をすると、打ち解けやすくなる

自己開示とは、
「自分自身の情報（内面、経験、考え方など）を相手に伝える」
ことです。

自己開示をすると、**「自分がどんな人間か」を理解してもらえるので、相手と打ち解けやすくなります。**
「この人のことは信頼できる」「この人には何でも話せる」。こうした信頼関係を築くには、相手より先に自己開示することが大切です。

自己開示には、返《へん》報《ぼう》性《せい》の法則が働きます。返報性とは、「相手から受けた好意などに対して、お返しをしたい」と感じる心理のことです。
自分が趣味の話をすれば、相手も趣味の話をする。自分が子どもの話をすれば、相手も子どもの話をする。自己開示の受け手は、話し手と同程度の情報を開示することがあります。

相手の心を開くには、自分から先に心を開くこと。「私、毎日食べても飽きないほど、ラーメンが好きなんです」「私、すぐに道に

迷ってしまうんです」と自分の情報をさらけ出すと、相手も自分のことを話しやすくなります。

自己開示のポイントは、次の３つです。

◆自己開示の３つのポイント

（1）自慢話はしない

自慢話は、「自分のほうが優位である」ことを強調するため、相手に不快感を与えやすくなります。

（2）自分の弱みや失敗談を披露する

他の人の失敗を聞くと、親近感や安心感を覚えます。弱みを見せることは人間らしさを見せること。自分の弱さ、マイナスの部分、失敗談をさらすと、相手との距離が近づきやすくなります。

（3）「重たい話」「冗談では済まない話」はしない

コンサルタントで作家の安田正さんと、精神科医の樺沢紫苑さんは、ともに自己開示の「深さ」に言及しています。腹を割って話せる間でない限り「重たい話」は避けましょう。

「空気が重くなるような身の上話（離婚や介護など）や、冗談ですまされないような失敗談は逆効果」（安田正『超一流の雑談力 超・実践編』／文響社）

「相手の心の扉があまり開いていない状態ではちょっとだけ自己開示をする。知り合ってからの期間も長く、相手の心の扉が開いている場合は、より深い自己開示が可能です」（樺沢紫苑『学びを結果に変えるアウトプット大全』／サンクチュアリ出版）

26位 「自分の都合」を押し付けない

Point

☑「説明（理由）＋お願い」をセットにする

「お願いを聞いてほしい」「こちらの要求を飲んでほしい」とき、どのように話を進めれば、受け入れてもらえるでしょうか。

100冊の中には、「議論」「説得」「交渉」のしかたに言及した本も含まれています。話し方の名著の中で紹介されていた「お願いのしかたのポイント」は、以下の３つになります。

◆お願いのしかたのポイント

(1)「説明（理由）＋お願い」をセットにする

「なぜ、それをしてほしいのか」「なぜ、その人に頼みたいのか」「自分は何に困っているのか」を説明します。

理由を述べたら、会話の最後に、「○○○をしていただけますか？」「○○○をお願いします」と結論を具体的に伝えます。

「聞き手は、話の内容が理解できたら、その結果、『自分はどうしたらいいのか』『相手が何を求めているのか』を確認したいのです。だからこそ、話の内容を伝えた後に、『お願い』を忘れないようにする」（鶴野充茂『頭のいい説明「すぐできる」コツ』／三笠書房）

「『この件は譲れないのですが……』で止めないで、『ですので、

ぜひ今回はこの方針でお話を進めさせていただきたいのです』。それが、もっとも強く相手の気持ちを導く言葉になるのです」（ゆうきゅう『マンガ版 ちょっとだけ・こっそり・素早く「言い返す」技術』／三笠書房）

（2）要望に優先順位をつける

あれもこれも要求すると、相手から「ノー」を突きつけられる可能性が高くなります。

「あれもこれも獲得しようと思ったら、交渉はうまくいかない。『絶対に譲れない要望』と『譲ってもいい要望』に分けて、優先順位付けをしなければいけない」（橋《はし》下《もと》徹《とおる》『交渉力』／PHP研究所）

（3）相手のメリットを伝える

お願いの成功率を上げるには、自分のメリットだけでなく、相手にとってのメリットも提示します。

例文

「この商品を今すぐ、購入してください」（自分のメリット）

↓

「今すぐご購入いただけるのなら、10％値引きします」（自分のメリット＋相手のメリット）

「目の前にある自分の利益の『裏』に、相手にとっての利益もあるということをきちんと説明できているかどうか。ここが大切なのだ」（三浦崇宏『言語化力』／SBクリエイティブ）

27位 「すみません」より「ありがとう」を選ぶ

Point

✓「ありがとう」をきちんと使うと人間関係が良くなる

会話のプロの多くが、「人間関係を良くする言葉」として「ありがとう」を挙げていました。

「人に素直に『ありがとう』と言える人を見ると素敵だな、と感じます。感謝の気持ちを自然体で表すためには、常に人に対して公平で、人の好意をオープンに受け入れる気持ちがなければできないと思うからです」（戸塚隆将『世界のエリートはなぜ、「この基本」を大事にするのか？』／朝日新聞出版）

「『ありがとう』は何度言ってもOKだし、なるべく早く伝えたいもの。口にすればするほど、自分自身も、周りの人も気持ちよくなれる魔法の言葉なのです」（『話し方のマナーとコツ』／学研）

◆「すみません」は言い換える

「すみません（すいません）」には、「謝罪」「依頼（呼びかけ）」「感謝」の３つの意味あります。

使い勝手がいい反面、「どの意味で使ったのか」があいまいになりやすいので、「ありがとう」に言い換えたほうが、感謝の気持ちは伝わります。

的確に気持ちを伝える（言い換える）例文1

- すみません **感謝** ➡ 「ありがとうございます」
- すみません **謝罪** ➡ 「申し訳ありません」
- すみません **依頼** ➡ 「お願いします」「失礼します」

◆「どうも」だけで終わらせない

「どうも」も、多くの場面で使用される便利な言葉です。お礼を述べるときにも、「どうも」を単体で使用する人がいます。ですが、「どうも」だけだと、自分の気持ちが正しく伝わりません。

的確に気持ちを伝える（言い換える）例文2

「昨日はどうも」

⬇（どうも＋気持ち）

「昨日は◯◯をしていただき、どうもありがとうございました」

例文2 のように、何についてのお礼なのかもきちんと言葉にすると、より感謝の気持ちが伝わりやすくなります。

◆「感謝」を口にできる人は、まわりから応援される

常に感謝の気持ちを持って、「ありがとう」と言える人は、多くの人の協力を得ることができます。

「継続して成功している人は、まわりへの感謝を忘れないもの。惜しみなく表現することで、協力者がどんどん増えていきます」

（戸田久美『アドラー流たった１分で伝わる言い方』／かんき出版）

28位

語《ご》彙《い》力《りょく》と伝える力は比例する

Point

☑ 使える語彙（ボキャブラリー、表現方法）を増やす

語彙力とは、その人が持っている言葉の知識と、それを「使い分ける力」「言い換える力」のことです。語彙力が高い人は、

「状況に応じて使い分ける」

「適切に、わかりやすく伝える」

ことが可能です。

一方、語彙力がない場合、同じ言い回し、同じ言葉の繰り返しになるので、表現が稚拙になりがちです。中国文献学者の山《やま》口《ぐち》謡《よう》司《じ》さんは、「語彙が乏《とぼ》しいと話が長くなる」と述べています。

「適切な表現が思い浮かばなければ、考えていることをすべて説明することになってしまいます。そうすると、話す量が増えてしまい、話す時間も長くなってしまうのです。（略）それだけあなたの意図していることが相手に伝わりづらくなります」（『語彙力がないまま社会人になってしまった人へ』／ワニブックス）

例文

「あの映画では、すごい力を持った主人公が活躍します」

↓（言い換え）

「あの映画では、人知を超える力を持った主人公が活躍します」

(1) 読書をする

語彙力を高める方法として、会話のプロの多くが「読書」をすすめています。

「ボキャブラリーを増やすには、まず、本、文字を読むことだと思います。(略)**いまはあまり本を読まない人は、なんでもいいから普段読まないようなものすべてを手にとって、簡単なもの**(自分が面白そうと思うもの)**から読み始めればいいです」**(和田裕美『和田裕美の人に好かれる話し方』/大和書房)

「ふだんの読書量が多ければ、自然に語彙も豊富になる。読書量が豊富かどうかが、話すときの語彙の数に影響を与える」(齋藤孝『人を10分ひきつける話す力』/大和書房)

(2) 辞書を引く

新聞や本を読んだり、人と話をしているとき、わからない言葉が出てきたら、辞書を引くようにします。

(3) メモをとる

「素敵だな」「使ってみたいな」と思える表現を見聞きしたら、メモをとって覚えます。

「ぼくは会社員になった頃からずっと『名言のメモ』を書きためている。『これはいいな』と思ったものはすぐにメモしている」

(三浦崇宏『言語化力』/SBクリエイティブ)

29位 ポジティブな表現をする

Point

☑ ネガティブ言葉をポジティブ言葉に変換する

選ぶ言葉によって、相手に与える印象は変わります。

ネガティブな表現をポジティブな表現に置き換えると、

「自分の気持ちが前向きになる」

「相手の気持ちも前向きになる」

ため、**人間関係が和やかになります。**

「この企画のここがダメ」と否定すると角《かど》が立ち、相手は「否定された」と感じます。

ですが、「ここにもうひと工夫あると、もっと良くなるよね」と肯定的に表現すれば、相手は「応援された」と前向きに受け取ることができます。

「『疲れた』『面倒くさい』などという言葉は一切使わず、『なかなか手ごわい案件ですね』などと、明るく言い換えることでポジティブ化できるので、自分も周囲もいつでも前向きな気持ちでいられる」（吉原珠央『「もっと話したい！」と思われる人の44のルール』／幻冬舎）

「日頃よく使う言葉を、ネガティブワードからポジティブワードに置き換えるクセをつけると、コミュニケーションが一気にうま

くいくことがよくあります」（河野英太郎『99％の人がしていないたった1％の仕事のコツ』／ディスカヴァー・トゥエンティワン）

「ネガティブ」➡「ポジティブ」の変換例

- 「忙しかった」➡「充実していた」
- 「面倒くさい」➡「やりがいがある」
- 「今は忙しいのでできません」
  ➡「もう少しあとなら、時間が取れます」
- 「夏が嫌い」➡「冬が好き」
- 「いつまで待たせるのか」➡「早くくるといいね」
- 「あと1時間しかない」➡「あと1時間ある」
- 「なんでもいいです」➡「どれも好きです」
- 「紅茶でいいです」➡「紅茶をお願いします」
- 「今日は頑張ったね」➡「今日も頑張ったね」
- 「あの人は、センスが悪い」
  ➡「あの人は自分の世界を持っている」
- 「あの人は飽きっぽい」➡「あの人は切り替えが早い」
- 「あの人は八方美人だ」➡「あの人は社交的だ」
- 「あの人には緊張感が足りない」
  ➡「あの人はいつも自然体だ」

30位 立場の違う人にこそ、きちんと敬意を払う

Point

☑「対等」の意識を持って接する

上司と部下、正社員・契約社員・パート社員、発注者と受注者など、責任や役割・立場の違いで関係性や態度を変える人がいます。しかし、役職や肩書、年齢は上下関係を示すものではないため、「○○が××よりもエライ」わけではありません。

対等な関係とは、「お互いが敬意を持つ関係」のことです。

弁護士で元政治家の橋下徹さんも、部下との協議の場面では、立場の上下が出ないように意識していたそうです。

「『相手と対等である』ということはいつも意識していた。年上・年下にかかわらず部下を『さん』づけで呼ぶのはもちろんのこと、いかなるときも丁寧語で話すことを心がけていた」（『交渉力』／PHP研究所）

心理学者の内藤誼人さんも、次のように述べています。

「部下であろうが、年下であろうが、"王様"や"お姫様"のように扱ってあげるからこそ、部下に慕《した》われるのである」（『「人たらし」のブラック心理術』／大和書房）

人は、強すぎる命令を嫌います。部下に依頼する際は、「命令」

ではなく「確認」する。「確認」するだけでも、部下は上司の要望を理解できます。

×悪い例 **命令、押しつけ**

「おまえの考えも聞きたいから、メシに連れていってやるよ」

○良い例 **提案、確認**

「食事をしながら、話を聞かせてもらってもいいかな？」

×悪い例 **命令、押しつけ**

「早くプレゼン資料をつくれよな」

○良い例 **提案、確認**

「プレゼン資料、もうつくってくれた？」
「プレゼン資料、明日までに仕上げてもらえるかな」

劇作家、演出家の平《ひら》田《た》オリザさんは、著書の中で、

「『これ、コピーとっとけよ』『これ、コピーとって頂戴』『これ、コピーとって』『これ、コピーとってください』

さて、上司が部下に、コピーをとることを指示するときに、適切な言葉はどれだろう。(略)**『これ、コピーとってください』だろう。男女を問わず、職場では、こういった少し丁寧な言い回しを、役職の上下を問わず地道に習慣づけていく」**(『わかりあえないことから』／講談社)ことが大切であると述べています。

31位 緊張の克服は「準備」と「大声」

Point

✔ 徹底した「準備」が緊張を防ぐ

プレゼンや面接など、人前で話すときは多くの人が緊張します。なぜ、人は緊張するのでしょうか。

プロ講演家の鴨頭嘉人さんは、「**“緊張する” ということは、神経伝達物質のノルアドレナリンが分泌されて、交感神経が活発になり、心拍数や血圧や体温が上昇することを指します**」「**緊張するということは、あなたの身体が自然と人前で話すための “準備” をしてくれているということなんです**」（『今まで誰も教えてくれなかった人前で話す極意』／かも出版）と語っています。

「緊張は悪いものではなく、身体のエネルギーを高めている証《あかし》」と意識を変えるだけで、緊張とうまくつきあえるようになります。

とはいえ、過度に緊張すると、恐怖心や不安でうまく話せなくなります。緊張を克服するためのポイントは、次の２つです。

（1） １にも２にも「準備」（準備については21位で説明）

会話のプロの多くが口を揃えるのは、「緊張をしないためには準備をすること」「リハーサルをすること」です。

準備を重ねると自信ができ、緊張を防ぐことができます。

では、どう準備をすればよいのでしょうか。

「壇上であがらないためには、しっかり準備するのが一番である。何を言うのか、いつ言うのか、どのように言うのかを体で覚えてしまうほどに」（カーマイン・ガロ『スティーブ・ジョブズ 驚異のプレゼン』／日経BP）

（2）大きな声で話す

ハーバード大学の必読図書トップ10に選出された『人生の武器としての伝える技術』（ジェイ・ハインリックス／ポプラ社）では、**「『もっと大きな声で話すこと』。これは、特に緊張しているときに効果がある。大きな声で話すことに意識を集中すると、自信に満ちた声で、リズミカルに語れるようになる」**と記されています。

また、作家の中谷彰宏さんは、面接では、**「大きな声でフルネームを言えばあがらない」**（『面接の達人　バイブル版』／ダイヤモンド社）と書いています。

緊張を克服するには事前準備をしっかりし、当日は大きな声で話すのが効果的です。

緊張して顔がこわばってしまう場合は、阿川佐和子さんが『叱られる力』（文藝春秋）で紹介している「『愛《え》媛《ひめ》みかん』と三度、唱える」方法が参考になります。

「『愛媛みかん』という言葉は、そのほとんどが『い』と『え』の母音で構成されている。（略）**この言葉を何度も唱えていると、**（略）**おのずと口が横に伸び、自然に笑った顔になる」**

阿川さんは本番直前に「愛媛みかん」を数度言うことで、緊張していても笑顔をつくることに成功したそうです。

32位

姿勢で印象が変わる。声が変わる

Point

☑ 話すときは背筋をまっすぐ伸ばす

会話をする際に気をつけたいのは姿勢です。

姿勢とは、**体の構え方、恰好《かっこう》**のことです。

良い姿勢にすると、おもに４つのメリットがあります。

◆良い姿勢にすることによる４つのメリット

- **のどの奥が開き、発声がこもらない。**
- **目線が安定する。**
- **説得力が出る。**
- **信頼が得られる。**

「良い姿勢」の基本

- 背筋を伸ばす。
- あごを引く。
- 頭の位置を意識してまっすぐに。

話すシーンやどう見せたいかによって、「良い姿勢」の手足の位置は異なります。

『絶対内定2020 面接』（杉村太郎・熊谷智宏／ダイヤモンド社）によると、

「絶対内定立ち姿４つのルール」は

「1　背筋を伸ばし、目線をまっすぐ前に
2　肩の力を抜く
3　かかとをつける
4　手は指先まで伸ばし太ももの側面へ（女子は前も可、その際も指先まで意識して）」

としています。面接官に良い印象を与えたいときは、きちんとした美しい姿勢が大切です。

エグゼクティブ・スピーチコーチの岡本純子さんは、『世界最高の話し方』（東洋経済新報社）で、**「プレゼンなどでは、しっかりと背筋を伸ばし、広げた肩からすとんと両脇に手を落とした状態か、両手をおへその上で組むのが『基本形』です」「堂々と見せたい場面では、肩幅ほどに足を広げ、鳥居のようにしっかりと立ちましょう。まずは、『強いカタチ』を整えることで、強いココロもついてくるのです」**と記しています。

逆に、話すときにやってはいけない姿勢もありますので、注意しましょう。

◆やってはいけない姿勢

- 両手を股間の前で重ねる→自信がないように見える。
- 貧乏ゆすり（座っているとき）→落ち着きのない印象を与える。

33位

スピーチや発表には キーワードのメモを持参

Point

☑ 冒頭を丸暗記しておくと自信を持って話し出せる

スピーチをするときや論文を発表するときは、事前に原稿やメモを用意します。とくに、発表するのがはじめての場合は、推敲《すいこう》（文章を見直すこと）を重ねた原稿をつくります。

フォーマルなシーンでは、原稿を読み上げながらスピーチするのが正式です。

◆原稿をつくるメリット

- **時間あたりどのくらいの分量を話せるかがわかる**（聞き取りやすいのは、１分あたり300文字程度）。
- **短いスピーチ**（５分以内）**の場合、無駄をそぎ落とした原稿をつくっておくと内容が濃くなる。**
- **読まないまでも、本番で原稿が手元にあると安心できる。**
- **言いたいことを整理できる。**

発表時の原稿やメモを扱う際のポイントは、次の３つです。

（1）原稿の棒読みはしない

原稿をその場で棒読みしたり、丸暗記して、スピーチやプレゼン、論文発表の場に臨んだりするのは避けます。

発表の場は、聴衆とのコミュニケーションの場です。

原稿を棒読みしてしまうと、臨場感がなくなり、聴衆の聞く気がそがれます。丸暗記すると、思い出すことに集中するあまり、目の前の聴衆の反応に気を配る余裕がなくなります。

(2) 冒頭だけは丸暗記してもいい

プレゼンでは、「冒頭は暗記しておいたほうがいい」という意見もありました。最初にうまく話せれば、自信がつくからです。

(3) キーワードをピックアップしたメモを用意する

話し方のプロたちが提唱しているのは、**見れば内容を思い出すキーワードをピックアップし、発表する順番に並べたメモを用意すること。**文章が書いてある原稿を読み上げると、どうしても表現の固い「書き言葉」を発することになります。

メモのキーワードだけを見て、その場で内容を組み立てて話せば、話し言葉に変換されるため、聞きやすくなります。

ただし、発表やスピーチに慣れていないのであれば、書いてきた原稿を読んでも構いません。大事なのは、きちんと原稿をつくって準備しておくことです。

東京大学教養学部のサブテキストとして編集された『知の技法』(東京大学出版会)には、「**準備が不十分で散漫な発表をするよりは、たとえぎこちなくとも、整理された草稿を片手に発表する方がずっと説得力があり、聞き手に好感を与えます**」と書かれてあります。

34位 相手の名前をしっかり覚える

Point

✓ 会話の中で積極的に相手の名前を呼ぶ

ビジネスでもプライベートでも、初対面の相手の「名前を覚えること」「すぐに相手の名前を口にすること」によって、人間関係が円滑に構築されていきます。

名前で呼ばれると、「大切にされている」「尊重してくれている」と思い、親近感が湧くためです。

名前を呼ばれるのは、誰でも嬉しいことです。会話の中で自分の名前を呼んでくれている人に対して、いつの間にか好感を抱くようになります。

◆相手の名前を覚える５つのメリット

- **名前を呼ぶことで相手との距離が縮まる。**
- **信頼関係が生まれる。**
- **人脈が増える。**
- **記憶力と知性があるという印象を与えられる。**
- **評価が高まる。**

とはいえ、初対面の相手の名前を覚えるのは難しいものです。会話のプロたちの「名前の覚え方」のコツは、おもに４つです。

（1）相手の名前を口に出す

自己紹介のときに相手の名前を口に出して、目と口で確認します。

例文

相手「はじめまして。○○建設の鈴木です」
自分「はじめまして。△△の吉田です。**鈴木さんですね**」

（2）会話の中で何度も名前を呼ぶ

名前を知ったら、会話の中で何度も相手の名前を呼び始めましょう。

できれば、「最低３回」は呼ぶと記憶に残りやすくなります（「自己紹介のとき」「質問をするとき」「別れ際」）。

（3）名刺の裏に相手の特徴を書いておく

ビジネスパーソンの場合は、もらった名刺の裏に顔の特徴、印象的な会話を記しておくと、あとで思い出しやすくなります。

（4）イメージトレーニングで覚える

相手と別れたあとに、名前と顔を一致させるイメージトレーニングをして記憶します。

35位

電話は「笑顔」で応対する

Point

☑ 電話をかける前に「何を話すか」を準備しておく

電話応対では顔が見えない分、声と言葉が印象を決めます。「相手に良い印象を与える」電話での話し方のポイントは、次の４つです。

（1）ほほ笑みながら話す

声のみのコミュニケーションでも、表情は自然と相手に伝わるものです。

茶道家の塩月弥栄子さんは、『上品な話し方』（光文社）の中で、「（電話は）**マウス・ツー・マウスであり、お互いの息づかいさえも聞こえるほどで、会って話をするよりもむしろ、もっと密着した感じです。とすれば、会って話をしているように振る舞うのが当然です**」と述べています。

固定電話だけでなく、携帯電話やスマートフォン、音声チャットツールを利用する際も、明るく爽やかに応対しましょう。

（2）電話をかける前に「伝える内容」を考えておく

電話では、**できるだけ要領よく、簡潔に、正確に、情報を伝えます。**用件が多いときは、事前に伝える内容をメモしておきましょう。

電話に苦手意識がある人は、相手の情報や、電話をかける場所や時間も確認し、万全の準備をしておくと安心です。

『入社1年目ビジネスマナーの教科書』（金森たかこ／プレジデント社）には、**「はじめは緊張するかもしれませんが、準備をしてのぞめば、よい応対ができるようになります」**と書かれています。

◆電話をかける前に確認しておくこと

- **相手の情報**……電話番号や会社・部署名、名前の読み方など。
- **伝える（聞く）内容**……必要な場合は資料を手元に用意。
- **電話をかける場所、時間**……電話をかけるのに適している場所か、相手の都合のよい時間かどうかを確認。

(3) 語尾をはっきり話す

電話では、言葉をはっきりと丁寧に話し、用件が明確に伝わるようにします。

とくに気を付けたいのは語尾です。「○○ます」の肯定なのか、「○○ません」の否定なのか、はっきりと伝えます。

(4) 切るときはゆっくりと

電話はガチャンと切らずに、ゆっくり切ります。

マナースクール ライビウム代表の諏内えみさんは、『「育ちがいい人」だけが知っていること』（ダイヤモンド社）の中で、**「急いでいる際であっても『立て込んでいるので切らせていただきます』などのひと言を付け加えて切りたいものです」**と述べています。

36位 大事なことは繰り返し伝える

Point

✔ 伝えたい言葉は短く、繰り返す

話し方のプロは、「大事な言葉（伝えたい言葉）は、繰り返す（反復、リピートする）こと」をすすめています。

繰り返すときのポイントは、２つあります。

（1）大事なことだけを繰り返す

コピーライターの佐々木圭一さんは、『伝え方が９割２』（ダイヤモンド社）の中で、伝え方のレシピのひとつとして、「リピート法」を紹介。**「リピートすると、そのコトバが相手の頭の中に残ります。強く伝えたいところをリピートするだけ。効果的なのに時短でできる、おたすけレシピです」**と述べています。

◆大事な言葉を繰り返すメリット

- **相手の頭の中に残りやすい。**
- **リズムが生まれ、理解しやすくなる。**

大事な言葉を繰り返すときの手順は、

「伝えたいこと」を決め、

「できるだけ短い言葉」にし、

「繰り返す」ことです。

例文

「I have a dream ～. I have a dream ～」
……「私には夢がある」を繰り返した、アメリカのマーティン・ルーサー・キング・ジュニア牧師の演説。

「忘れてはならないものがあります。それは、大震災の絶望の中で示された日本人の気高き精神です。忘れてはならないものがあります。～」
……2011年の東日本大震災のあとに総理大臣に選ばれた、野《の》田《だ》佳《よし》彦《ひこ》さんによる所信表明演説。

「気合いだ。気合いだ。気合いだ」
……元プロレスラー、アニマル浜《はま》口《ぐち》さんが気合いを入れるときの掛け声。

（2）本当に大切なことは「ことあるごと」に言う

では、伝えたいことは何回繰り返せばいいのでしょうか。

プレゼンや講演会などで繰り返す回数は、最低でも２～３回。また、企業にとって大切なことを社員に対して伝える場合は、「ことあるごと」に伝えます。

小山昇さんは、『儲かる会社のコミュニケーションの鉄則』（朝日新聞出版）の中で、**「同じことを６回繰り返し伝えて、**（略）**ようやく全体の60％ぐらいが伝わる」**と述べています。

37位 立つ位置、座る位置、距離で空気が変わる

Point

☑ 話す場面・目的・関係性で、適切な位置と距離は違う

会話をするときは、物理的な位置と距離を意識します。**位置や距離が場の空気に影響する**からです。

会話をするときの位置関係は、おもに3種類あります。

会話をするときの位置関係

①正面……「対決位置」とも呼ばれる。緊張感が生まれるのでビジネスの場で使われる。

②斜め……L字型（90度）の位置は親近感が湧く。日常生活やインタビュー向き。ビジネスで相手との距離を縮めたいときにも。

③隣り合わせ……「交流位置」とも呼ばれる。親近感や味方意識が働く。営業等で使われる。

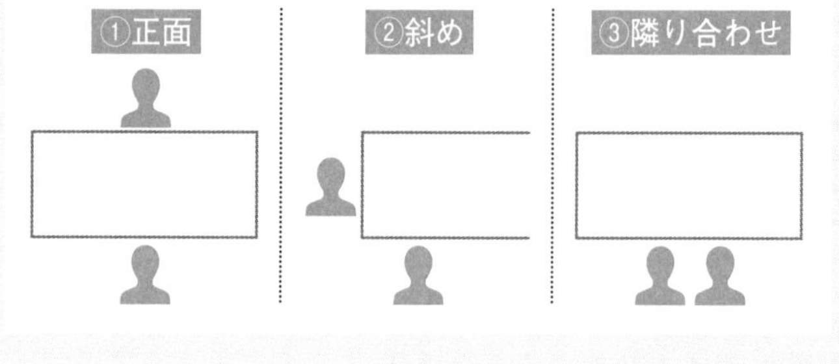

フリーアナウンサーの魚住りえさんは、『たった１日で声まで良くなる話し方の教科書』（東洋経済新報社）の中で、**「『座る場所』次第で、その場の空気が変わる」**と述べ、**「会話のときは、相手との距離感によって『座る場所』を変える」**ことを推奨しています。

会話をするときは、相手との距離も意識します。
親しくなるにつれて距離が近くなります。
では、どのくらいの距離で話すのがいいのでしょうか。作家でコンサルタントの福田健さんは、**「身近な人との間では、『親密距離』といって、腕を伸ばした指の先あたりまでの距離がよいとされている」「初対面の場合は、一メートルを目安にするとよい」**（『人は「話し方」で９割変わる』／経済界）と長さを示しています。

コミュニケーション・インストラクターの杉山美奈子さんが監修する『話し方のマナーとコツ』（学研）では、
「恋人同士の密接な距離……14〜45cm
友人同士の会話の距離……45〜120cm
相手と親密度を高めたいときは……70〜120cm以内」
と具体的な長さを記しています。

近すぎると緊張感が生まれ、離れすぎるとよそよそしさが生まれます。**相手によって距離を意識する**と、心地よく会話ができます。

38位 去り際の会話で好印象を残す

Point

☑ 去り際が好印象だと「次も会いたい」と思ってもらえる

プレゼンや営業では、去り際に好印象を残しておくと、「また、次も会いたい」「もう一度、話を聞きたい」と思ってもらえます。そうした積み重ねによって、関係性が構築されていきます。

なぜ、去り際の印象が大切なのでしょうか。

桐生稔さんは、著書『雑談の一流、二流、三流』（明日香出版社）の中で「親近効果」に触れ、その理由を述べています。

「親近効果とは、アメリカの心理学者N・H・アンダーソンが提唱したもので、（略）**『人は最後に得た情報に影響を受けやすい』という効果です。**（略）**最後に与えるインパクトが次の展開にも大きく影響します」**

また、塩月弥栄子さんは、『上品な話し方』（光文社）の中で、**「別れのことばは、再会に焦点を」**と記しています。

相手が気になる情報を別れ際に伝えておくと、さらにインパクトは強くなります。

×悪い例

「今日は楽しかったです。ありがとうございます。さようなら」

○良い例1

「田中さん、今日は楽しかったです。ありがとうございます。また、お会いしましょう」

○良い例2

「田中さん、今日は楽しかったです。ありがとうございます。そういえば、先ほど赤ワインがお好きとおっしゃっていましたね。神楽坂においしい赤ワインのお店があるんですよ。今度、一緒に行きましょう」

悪い例 は、その日のお礼は言っているものの、「さようなら」だけのさびしい印象が残ります。

良い例1 は、「田中さん」と相手の名前を入れています。34位で紹介したように、名前を呼ばれると好印象になります。また、「また、お会いしましょう」と再会につながる言葉を加えています。

良い例2 では、上記に加え、「神楽坂にある赤ワインのお店」という相手が気になる情報を伝えました。

去り際をおろそかにしないことで、また会うチャンスが生まれます。

39位 断るときは、きっぱり、はっきりと

Point

☑ 依頼を断るとき、あいまいな返事は厳禁

仕事の依頼やプライベートの誘いを断るときは、きっぱり、はっきりと「断り」の返事をします。「断ったら、怒られそう」「相手を傷つけてしまうかも」と思っても、返事をあいまいにしてはいけません。

あいまいな返事をしてはいけない理由は、「相手をイラッとさせる」「相手を困惑させる」「期待を持たせる」「傷つける」「いつまでもわかり合えない」ためです。

そうはいっても、断り方次第では、その後の人間関係がうまくいかなくなることもあります。では、依頼や誘いは、どのように断ればよいのでしょうか。

断り方の基本

- 早く断る。
- 「ごめんなさい」のひと言を加える。
- 断る理由をうやむやにしない。
- 理由を言うときに嘘はつかない。
- シンプルに断る（「できればやりたいのですが」「本当は行きたいのですが」などの余計なことは言わない）

樺沢紫苑さんの『学びを結果に変えるアウトプット大全』（サンクチュアリ出版）では、角を立てないため、

「断り方の公式＝謝罪（感謝）＋理由＋断り＋代替案」

の活用をすすめています。

断り方の公式 例文

「申し訳ありません（謝罪）。そのプロジェクトに私を選んでいただいてありがとうございます（感謝）。本日、子どもの塾の送迎があるため（理由）、残念ながらお引き受けできません（断り）。明日の午前中でしたら終わらせることができるのですが、いかがでしょうか（代替案）」

諏内えみさんは『「育ちがいい人」だけが知っていること』（ダイヤモンド社）の中で、**「相手のお誘いをお断りするときこそ、その方の品性が表れるもの」**と語り、

「お礼＋残念ですが＋理由＋おわび」

という品の良い断りのしかたを紹介しています。

品良く誘いを断る方法 例文

「まぁお誘いくださってうれしいわ。ありがとうございます（お礼）。とっても残念ですが、PTAの会合が入っているの（理由）。せっかくお声がけくださったのに申し訳ありません（おわび）。ぜひまた誘ってくださいね」

40位 「あのー」「えっと」を使わない

Point

✓「あのー」「えっと」を言いそうになったら口をつむぐ

会話をしているとつい出てしまう「あのー」「えっと」。

次の言葉へのつなぎとして、無意識に使っています。

40位は、この「『あのー』『えっと』を使わない」です。

これらのつなぎの言葉は、「中つぎ語」「間もたせの言葉（言葉の間を埋める言葉）」とも呼ばれています。

なぜ、こうした言葉を使わないほうがいいのでしょうか。

アナウンサーの安住紳一郎さんは、「**一般的に『えー』『あのー』『まあ』などを連発していると、『イエス・ノーの結論が出せない』『思考がまとまっていない』と受けとられます**」（『話すチカラ』／ダイヤモンド社）と述べています。

同じくアナウンサーの魚住りえさんは、「**『えー』『あのー』『えっと』などの感動詞は、本人はさほど気にしていないかもしれませんが、聞く側にとっては耳障りなフレーズになってしまいます**」（『たった１日で声まで良くなる話し方の教科書』／東洋経済新報社）と、つなぎの言葉のデメリットを挙げています。

話し方の名著の中には、つい出てしまうつなぎの言葉として、次の言葉が挙げられていました。

◆つい出てしまうつなぎの言葉

「えー」「あのー」「えっと」「まあ」「なんか」「そのー」
「ちょっとー」「それで」「じつは」

つなぎの言葉は、無意識に使っていますので、自分では気づきにくいものです。クセになっている人では、頻繁に「あのー」「えっと」が出てしまうケースもあります。クセを直すにはどうしたらいいのでしょうか。

会話のプロたちは、「あのー」「えっと」などを使わないようにするために、次のアドバイスをしています。

「あのー」「えっと」を使わないようにする方法

- 人前で話す場合はリハーサルを行い、誰かに聞いてもらって、指摘してもらう。
- 話す声や姿を録音や録画し、自分で聞き直したり、見たりして、クセを直す。
- 「えー」と言いそうになったら口を閉じる。
- 「まあ」「それで」「さて」など、「えー」の変わりの言葉を用意する。
- 話したい内容を明確に持つ。
- 間を置く。

Column

「話し下手」が急増中!?
今こそ「伝える力」を磨く意味

対面から電話へ、そしてメールやチャットへ、さらにはオンライン会議へ。コミュニケーションの方法はビジネス環境とともに、どんどん変化しています。

このような変化に関連して、おもしろい調査結果を発見しました。文化庁による「国語に関する世論調査」(調査時期:平成25年3月)です。

国語に関する世論調査

- 「誰かに話をしていて、自分の言いたかったことが、相手にうまく伝わらなかったという経験がある」……63.4%
- 「誰かの話を聞いていて、その人の言いたかったことと、自分の受け取ったこととが食い違っていた経験がある」……66.5%

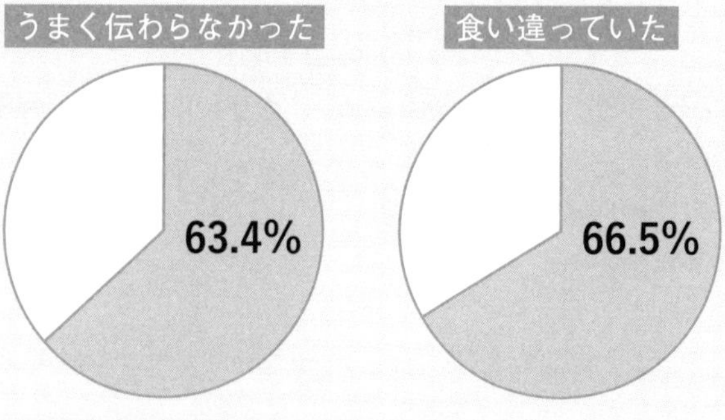

この結果を受け、文化庁は、「メールなど非対面型の情報ツールの普及にともない、対面型コミュニケーションに苦手意識を持つ人が増えている」と結論づけています。

つまり、SNSやメールが普及したことで、

- アナログでのコミュニケーションが苦手な人
- 会話に自信がなく、うまく意見を伝えられない人
- 要点を順序立てて説明できない人

が増えているのです。

良好な人間関係を築く上で、会話によるコミュニケーションは不可欠です。

さらに、ソーシャルディスタンスが求められる昨今、何度も顔を合わせてコミュニケーションを重ねることが難しくなっています。**機会が減った分、1回1回の対面コミュニケーションの質の向上が求められている**のは、間違いありません。

本書は、「自分の言いたかったことを正確に伝える」ことを軸としていますが、一方でこの能力を磨くと、「相手の言いたいことを正確に聞き取る」こともできるようになります。

会話のすれ違いをなくすだけでなく、コミュニケーションを通してよりよい関係性を築いていくために、本書を活用してください。

付録

「話し方のベストセラー100冊」の ポイントを場面別に活かしてみた！

ここまで、「話し方」「伝え方」のベストセラーから、そのポイントだけを抜き出して紹介してきました。たしかに説得力のあるランキングでしたが、

「1対1の会話のときとプレゼンのとき、リアルの会議のときとオンライン会議のときなど、どうポイントを使い分ければいいの？」

と思われた方もいるかもしれません。

そこでここでは、本書の付録として、

1 初対面や付き合いの浅い人と会って話す、雑談する

2 1対1で報告・連絡・相談をする

3 1対1で相手に聞き取り（インタビュー）をする
コミュニケーションを通して関係性を深める

4 1対1で説得する、交渉する

5 複数の人に対してプレゼンやスピーチをする

6 オンライン・電話で話す

7 目上の人や目下の人・年齢の離れた人と話す

8 子どもをほめる・叱る

のシチュエーション別に、とくに参考になりそうな項目をまとめて紹介します。

1 初対面や付き合いの浅い人と会って話す、雑談する

★とくに参考になる5つのポイント★

22位	素敵な人間関係は素敵な挨拶から
34位	相手の名前をしっかり覚える
5位	「鉄板ネタ」で雑談がとぎれず盛り上がる
12位	笑顔で会話する
38位	去り際の会話で好印象を残す

会合やパーティ、イベント、アイスブレイク（初対面の緊張を和らげること）の機会などで、初対面に近い相手やそれほど親しくない人と話す場合、おさえておきたいポイントが、この５項目です。

こうしたシチュエーションの場合、求められているのはその場限りの関係性ではなく、その後のより深い関係形成のためのスタートラインとしての会話です。ですからここでも、お互いに良い印象を持てること、次につながりやすいようにすることに重点を置いて項目を選びました。

そのまま本題に会話が移っていく場合には、他のシチュエーションとも組み合わせて活用してください。

この５つのポイントは、ちょっとした挨拶やエレベーターやオフィスなどでばったり会った場合などにも役立ちます。活用してみてください。

2 1対1で報告・連絡・相談をする

★とくに参考になる５つのポイント★

2位	「伝える順番」が「伝わり方」を決める
8位	具体的に話す
11位	話は「短い」ほうがいい
19位	要点は絞ったほうが伝わる
36位	大事なことは繰り返し伝える

ビジネスシーンでの会話においては、「言いたいことを誤解なく伝えること」が重要です。そこでここでは、「話をとにかくわかりやすくする」「誤解なく伝える」ための５つのポイントを挙げました。

このように箇条書きにすると、当たり前のことのように思えるかもしれません。しかし、ビジネスの現場では、これらのポイントをおさえていないことで、わかりにくく誤解されやすくなっているケースが見られます。

×悪い例

「先日の会議で指摘をいただいた件ですが、確認したところ、やはり新しいタグには不備がありまして、再手配をしましたが、どうやら先方も立て込んでいるらしく、今のままだと納期に間に合わないとのことで、いったん納期でできるだけ納品してもらって、残りはでき次第という形にしてほしいということです。このような形で進めてもよいでしょうか？」

口頭でこのような報告を聞いた場合、何の話をしているのか、どこに問題があるのか、いくつならいつまでに手に入るのか、残りはいつになるのか、などの具体的な情報が入ってきません。

５つのポイントに則って、

- **「納期の件」と最初に相談事項を提示する**
- **発注した100個、来月10日など、具体的に伝える**
- **文章を区切って短くする**
- **不必要な情報を省く**
- **不備の箇所や発注数、納期など上司も把握していることでも、重要なことは改めて伝える**

としたのが、下記の例です。

○良い例

「先週の定例会議で指摘いただいた新しいタグの納期の件です。
やはり試作段階では、タグを取り付ける部分の仕様について詰められていませんでした。
至急調整を進めていますが、今月中の全量納品は難しいとのことです。
発注した100個のうち半数は今月中、残り半数は来月10日納品とさせてもらえないかとのことですが、よろしいでしょうか？」

口頭での報告の場合、だらだらと続けるだけで、聞き手は理解しづらくなってしまいます。伝えるべきことを事前に整理して、効率の良いコミュニケーションを心がけましょう。

3 1対1で相手に聞き取り(インタビュー)をするコミュニケーションを通して関係性を深める

★とくに参考になる5つのポイント★

37位	立つ位置、座る位置、距離で空気が変わる
1位	会話は「相手」を中心に
4位	「いい質問」で話を引き出す
9位	「相づち」と「うなずき」は「共感のサイン」
18位	相手の話をさえぎらない

相手からじっくり話を聞きたい場合に意外と助けになるのが、「座る位置」です。「対決位置」は、必要な情報だけを効率良く聞き取る、といった場面ではよいのですが、相手の内面からの言葉を聞きたい場合、相手と心の交流をしたい場合には相手を身構えさせてしまい、なかなか踏み込んだ話ができないことがあります。「L字型」や「交流位置」を選ぶとよいでしょう。

それ以外の4つのポイントは、いずれも、相手が話しやすくなるための振る舞いです。わざとらしくなってはいけませんが、意識的に相手の話を聞いたり、話が自然に深まっていくように事前に質問を考えておいたりすれば、相手は胸襟《きょうきん》を開いて話してくれるようになるでしょう。

なお、今回5つのポイントには入れませんでしたが、相手が話しにくそうにしているときには、

- **25位 自己開示は「自分から」**

も効果的です。

4 1対1で説得する、交渉する

★とくに参考になる5つのポイント★

7位	相手の目を見る
15位	「かんたんな言葉」「やさしい言葉」で伝える
26位	「自分の都合」を押し付けない
29位	ポジティブな表現をする
32位	姿勢で印象が変わる。声が変わる

説得や交渉は、内容や相手との関係性によって、雰囲気や話の流れが大きく変わるもののひとつです。

そこでここでは、「この人の話ならば信じられる」「提示された条件に乗ってみよう」と思われるためにとくに役立つポイントとして、上記の５つをピックアップしました。

これらのポイントは、言い換えれば、コミュニケーションを通して信頼関係を構築するためのもの。姿勢や振る舞いに誠実さを感じられる人、こちらの立場や状況を理解した上で話してくれる人、誤解の生まれづらい言葉で説明をしてくれる人、説得や交渉に乗った先にポジティブな未来を見せてくれる人は、説明がうまい人以上の説得力・交渉力を持ちうるのではないでしょうか。

もうひとつ、交渉相手から信頼を得るための態度として、

- **39位 断るときは、きっぱり、はっきりと**

も有効です。

5 複数の人に対してプレゼンやスピーチをする

プレゼンの内容★とくに参考になる5つのポイント★

8位	具体的に話す
19位	要点は絞ったほうが伝わる
20位	会話もプレゼンも「導入」がキモ
21位	スピーチは「準備」が9割
33位	スピーチや発表にはキーワードのメモを持参

プレゼン時の話し方★とくに参考になる5つのポイント★

3位	話し方にメリハリをつける
7位	相手の目を見る
17位	身振り、手振りを加える
32位	姿勢で印象が変わる。声が変わる
31位	緊張の克服は「準備」と「大声」

ここでは、プレゼンやスピーチ、あるいは面接といった複数人に向けてパブリックに話す場面（リアル、オンラインを含む）を想定しています。話の内容面と、話すときのパフォーマンス面に分けてポイントを集めました。

どちらを見ていただいてもわかるように、大切なのは準備です。

話す内容はきちんと整理して、要点を絞り、具体的に話せるようにしておくこと。導入から話す順番にキーワードを抜き出したメモを用意すること。こうした準備をしっかりして、練習しておけば、緊張しすぎることも話の軸がぶれることもなく、自信を持って臨むことができるはずです。

「どんな準備をどの程度しておけば、本番で話しやすいのか」

という視点で、準備を徹底するといいですね。

また、昨今増加しているオンラインでのプレゼン、スピーチ、面接の場合には、オンライン環境（インターネットの接続状況や機器の具合など）も不安のないようにしておくのが、求められる準備です。

なお、ここでは取り上げませんでしたが、

- **23位　練習で、誰でも話し上手・伝え上手になれる**

は、すべてのシチュエーションに共通する大前提です。

名プレゼンターも、伝説のスピーカーも、人気のアナウンサーやコメンテーターもみな、場数を踏んで失敗を乗り越えて活躍しています。

十分な準備と練習で、プレゼン、スピーチ、面接の力を磨いてください。

6 オンライン・電話で話す

★とくに参考になる5つのポイント★

3位	話し方にメリハリをつける
7位	相手の目を見る
11位	話は「短い」ほうがいい
18位	相手の話をさえぎらない
35位	電話は「笑顔」で応対する

ここでは、今のご時世に増えてきたオンラインでの会話のコツをまとめます。

３位の「話し方にメリハリをつける」と７位の「相手の目を見る」を挙げたのは、オンラインでの会話の場合、とくに思いや熱量、感情は伝わりづらくなるためです。メリハリをつけて文末までしっかり発声することで、文字面だけでない思いの面も伝えられるように心がけましょう。

また、パソコンの画面とウェブカメラに距離がある場合には会議中にまったく目が合わないということにもなりがちです。意図的にカメラを見て目を合わせる時間をつくると、相手に安心感を与えることができるでしょう。

11位の「話は『短い』ほうがいい」と18位の「相手の話をさえぎらない」は、オンラインならではのやりとりの難しさからピックアップしました。

スピーチコンサルタントの矢《や》野《の》香《かおり》さんは、伝え方のポイントのひとつに「１文を短くする」ことを挙げています。

「一文を長く話すと、聞き手が混乱します。自分の話を録音または録画し、一文の文字数を確認してみましょう。わかりやすいのは、一文50文字程度です」（『オンラインでの「伝え方」ココが違います！』／すばる舎）

オンラインでの会話は、「間」をとりづらく、気をつけていても相手の発言のタイミングと重なってしまったり、話したい人がいるのに自分の話を続けてしまったりしがちです。

話をコンパクトにまとめたり、普段より細かく相手の様子をチェックするなどして、一人で話し続けないように、相手の話を奪わないように心がけることをおすすめします。

最後に、「電話は『笑顔』で応対する」です。画面がついているときはもちろん、画面をオフにしているときも、その人の表情は声の雰囲気になって相手に伝わってしまいます。

目の前に相手がいないと、つい気が緩んで無表情になりがちです。オンラインでの会話では、意識的に表情を動かすことを心がけてください。

7 目上の人や目下の人・年齢の離れた人と話す

★とくに参考になる5つのポイント★

22位	素敵な人間関係は素敵な挨拶から
30位	立場の違う人にこそ、きちんと敬意を払う
13位	(目下の人は)叱ってもいいが、怒ってはいけない
14位	目上の人と話すときは丁寧に
18位	相手の話をさえぎらない

立場の違う人や年代の離れた人と話す場合、相手に不快感を与えないことには、とくに注意を払う必要があります。

その理由は、両者の価値観が違うから。ほめ言葉のつもりで言ったことが相手にとっては不快だったり、ハラスメントに該当したり、というケースは珍しくありません。

しかし、両者のコミュニケーションが難しい一方で、立場や年代の離れた人との交流は、お互いにとっての経験であり、成長につながる糧《かて》ともなります。そこでここでは、関係性を深める以前の、立場や年代の離れた人とのコミュニケーションの基本にあたる項目を集めました。

話し方や伝え方といったコミュニケーションは、関係形成の第一歩です。

「こういう人にはこんなふうに言っておけばいい」などと高《たか》をくくって考えるのではなく、丁寧なコミュニケーションを重ねて関係性を深めてください。

8 子どもをほめる・叱る

★とくに参考になる5つのポイント★

6位	「ほめ」は人間関係の潤滑油
13位	叱ってもいいが、怒ってはいけない
3位	話し方にメリハリをつける
7位	相手の目を見る
15位	「かんたんな言葉」「やさしい言葉」で伝える

ほめ方や叱り方に関しては、ビジネスシーンよりも日常の場面で悩んでいる方も多いようです。多くの名著では、子どもに対してどうほめるか、どう叱るかが取り上げられていました。

ほめる内容（叱る内容）やほめる（叱る）際の声のかけ方は、基本的には大人と同様に、理由を添えたり、プロセスに注目することが有効です。ただし子どもに対しては、3位、7位、15位で紹介している振る舞いや伝え方にも、大人に対するとき以上の注意が必要です。

たとえば「視線の高さ」。子どもと大人が向かい合う際、立っていても座っていても、たいていは大人が子どもを見下ろす形になります。この目線の差によって、大人が想像する以上に、子どもが威圧されている可能性があるのです。

あるいは、小さい子どもに対しては、理解できるスピードでゆっくり話すこと、やさしい言葉で伝えることも欠かせません。「相手」を中心に伝えることが大原則です。

おわりに①

「話は人なり」

藤吉 豊

僕は約30年間、ライターとして、編集者として、出版の世界に身を置いてきました。言葉の海を泳ぎ続けてきた僕は、今、

「文（文章）は、人なり」

であることを強く意識しています。

文章には、書き手の思想や人柄が色濃くあらわれます。

「言葉は身の文《あや》」といわれるように、言葉は、書き手の人柄、品位、心の様子、生活をあらわします。

「言葉は心の使い」といわれるように、言葉は、その人が心に思っていることを自然とあらわします。

たとえば、電車の中で赤ちゃんが泣いているのを見たとき、

「うるさいから泣くな。赤ちゃんを公共交通機関に乗せるな。泣いたら親があやせ。いったん降りろ」

と発言する人もいれば、

「赤ちゃんが泣くのは自然なこと。子どもに不寛容な社会であってはいけない。赤ちゃんをみんなで育てる社会になってほしい」

と発言する人もいます。

「赤ちゃんが電車内で泣いている」という事実はひとつでも、解釈や受け取り方はさまざまです。その事実の価値を決めているのは、見た人（発言した人）の心、内面、人生観です。

どの言葉を選んで、どのように表現して、どのような考えを披露するのか……。それは人それぞれです。

イライラした人の発言は、攻撃的になりやすい。一方で心穏やかな人の発言は、平和的になります。

「クソ」「バカ」「アホ」と相手を非難すれば、その主張に論理的な正しさがあっても、受け入れてはもらえないと思います。

前著『「文章術のベストセラー100冊」のポイントを１冊にまとめてみた。』（日経BP／文章術の名著100冊の共通ノウハウをランキング化して紹介）の28位には、

「日頃から内面を豊かに耕す」

がランクインしました。

文章は、その人の思考や思想、性格といった人間性を自然と反映します。だからこそ、「内面を耕したほうがいい」という教えです。

僕は、話し方の名著100冊を読み終えたとき、「会話と文章、話すと書く、コミュニケーションの手段は違っても、『伝えること』の根っこにあるのは、同じである」ことに気づきました。

大事なのは、内面を耕すこと。

話し方の名著100冊の中で、もっとも印象に残っている１文が

あります。

茶道家、塩月弥栄子さんが綴《つづ》られた１文です。

「結局のところ、『話は人なり』で、その温かい人柄がにじみでる思いやりのことばが、相手の心を打つのです」（『上品な話し方』／光文社）

テクニックを身につけたからといって、たちどころに話が流暢《りゅうちょう》になるわけではない。聞き手の心を動かすのは、話術ではなく、人柄です。

話術を磨くこと以上に、

「誠実に振る舞うこと」

「真心を持って接すること」

「相手の気持ちを思うこと」

の大切さを塩月弥栄子さんは教えてくださいました。

会話も、文章と同じで、「人なり」です。

親切な心、やさしい心、あたたかな心を持つ人の話は、少しくらい表現が稚拙でも、聞き手を引きつけます。

反対に、人のことなど気にもかけない人は、話術がどれほど巧みでも、やがて孤立します。

元朝日新聞記者の辰《たつ》濃《の》和《かず》男《お》さんの言葉を借りれば、

「結局は『内面』の深さがものをいう」（『文章のみがき方』／岩波書店）

のです。

毎日の暮らしの中で、
「何を見て笑い、何を見て泣き、何を見て喜び、何を見て怒っているのか」
「何を学び、何を知り、何に気づき、何を考えているのか」
「何を好み、何を嫌っているのか」
こうした心の機微《きび》が、「自分の言葉」をつくり出します。

「内面を耕せば、ものの見方が変わり、言葉の選び方が変わり、話し方が変わり、そして、生き方が変わる……」。
話し方の名著100冊は、僕にそのことを教えてくれました。

話し方を変えることは、自分自身の内面をより良く変えることです。
自分の話し方のクセを見直す作業は、自分の内面を見つめ直す作業です。

本書が、読者のみなさんの言葉と、会話と、内面を磨くヒントになることを心より願っています。

おわりに②

「大丈夫。ちゃんと話せるようになる」

小川真理子

約30年、ライターを生業《なりわい》にしてきました。

仕事は、かんたんに言ってしまえば、

「聞いて（インタビューして）」「書く」

ことです。

20代の頃は、編集プロダクションに勤務する、駆け出しのライターでした。「書く」ことは好きでしたが、「インタビュー」は苦手。私の聞き方の、あまりの未熟さにあきれたのか、インタビューイー（インタビューされる人）が、途中で帰ってしまったこともありました。

ガーン。

もしかしたら、ライターに向いてないの？

真剣に悩みました。

実は、子どもの頃からあがり症で、人前に出たり、初対面の人を前にしたりすると、頭の中が真っ白になることがありました。

成長とともに、多少は改善されていきましたが、社会人になっても、苦手は苦手。

職業としてライターを選択したのは無謀だったのかも。

そんなことも頭をよぎりました。

でも、私が働いていたのは次から次へと仕事が入ってくる大忙しの会社。立ち止まっている時間はありません。苦手意識を抱えたまま、インタビューに行き、次々と原稿を仕上げていきました。

そんなある日、先輩が、

「準備をしっかりすれば、インタビューは怖くなくなるよ」

と教えてくれました。以降、インタビューの前には、時間の許す限り、相手について、取材テーマについて、下調べをしました。たしかに、準備を多くするほど、恐怖心はなくなっていきました。

だから、会話のプロたちの叡智《えいち》を集めた本書の中で、効果のある「話し方」のコツをひとつだけ挙げるとすれば、私の場合は、

「準備をする」(21位)

です。

駆け出しだった頃から30年経った今、文道(2018年に藤吉と共に創業した「文章に関するあらゆることを教える」会社)が開催するライティング講座の講師として、人前で話をするまでになりました。

20代の頃、インタビューイーに途中で帰られて、半べそをかいていた自分に、もし、今、声をかけるとすれば、こう言ってあげたいです。

「大丈夫。ちゃんと話せるようになるから」

若き日の私と同じように話すことが苦手で、本書を手に取ってくださった方がいるとしたら、この言葉をお送りしたいです。

◆「話す」ことは楽しい

文道のライティング講座には、インタビュー術の時間もあります。一番盛り上がるのは、参加者がお互いにインタビューをし合うワーク。毎回、キャッキャッ、ワイワイ、ガヤガヤと、この上なくにぎやかな時間となります。

聞き手はときどきつかえながらも、笑顔で話を聞きます。

聞かれるほうも、いきいきと嬉しそうに答えていきます。

「話す」ことは楽しいのだ、とつくづく思います。

「話す」ことは、ビジネスではもちろんのこと、日常でも欠かせません。うまく話せるようになれば、日常がより楽しくなります。

日常の積み重ねが人生だとすれば、うまく話せると、人生が楽しくなります。

斎藤茂太さんは、『いい言葉は、いい人生をつくる』（成美堂出版）の「はじめに」で、次のように書いています。

「私流にいえば、成功した人生かそうでないかを分けるのは、振り返ってみたとき『楽しかった』と即答できるかどうかだと思う」

「話し方」のベストセラーを読んで感じたのは、「コツの多彩さ」です。たとえば、「うなずき方が大事」と書かれた本は、たしかにたくさんありました。

でも、気を付けるポイントは、会話のプロの方たち、お一人お一人が、自分なりのコツをつかみ、紹介してくださっているんです。本書ではそこをギュッとまとめています。

ひとつでもふたつでも、「これだったらできそう！」と思うコツ

を覚え、
「会話を楽しんでいただけたら」
「ビジネスに役立てていただけたら」
「人生を楽しんでいただけたら」
と思います。

最後までお読みいただき、ありがとうございました。

参考にさせていただいた名著100冊

本書は、下記の条件をもとに書籍を収集し、調査しました。

- 「話し方」「伝え方」など、口頭を主とするコミュニケーションがテーマの書籍。
- 「平成元年以降」に、紙または電子媒体で刊行された書籍。時代とともに、「求められる日本語」が変化する可能性があるため。
- 「ベストセラー」「ロングセラー」の書籍。より多くの方に受け入れられているルールを抽出するため、販売部数や書籍への評価を踏まえて選出しました。

ただし、上記の条件を満たさない書籍でも、影響力の大きさに鑑《かんが》み、以下の書籍も調査対象としました。

- 「昭和以前」に刊行されたコミュニケーション関連の書籍で、平成元年以降にベストセラー・ロングセラーと認められたり、「年間ベストセラー」ランキングに入った書籍。平成元年以降に改訂版が刊行された書籍。
- コロナ禍以降急増した、オンラインにおけるコミュニケーションに関連する書籍。
- 歴史に名を連ねる弁論家（キケローやアリストテレスなど）、名スピーチ（オバマなど）に関連する書籍。

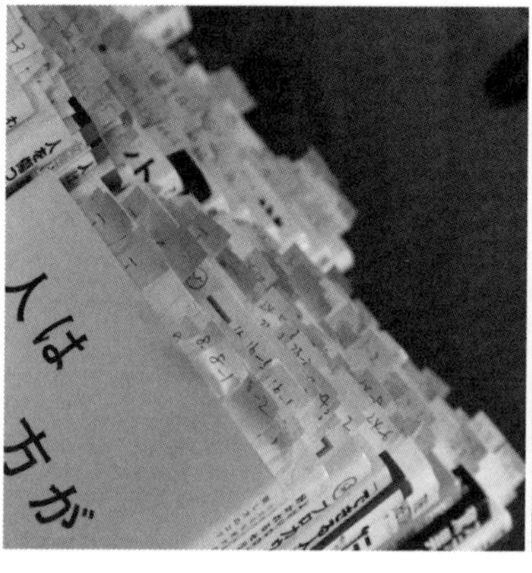

書籍リスト（順不同）

1 『1分で話せ　世界のトップが絶賛した大事なことだけシンプルに伝える技術』伊藤羊一／SBクリエイティブ

2 『伝える力　「話す」「書く」「聞く」能力が仕事を変える！』池上彰／PHP研究所

3 『話し方で損する人 得する人』五百田達成／ディスカヴァー・トゥエンティワン

4 『ヤフーの1on1　部下を成長させるコミュニケーションの技法』本間浩輔／ダイヤモンド社

5 『よけいなひと言を好かれるセリフに変える言いかえ図鑑』大野萌子／サンマーク出版

6 『雑談の一流、二流、三流』桐生稔／明日香出版社

7 『人は話し方が9割　1分で人を動かし、100%好かれる話し方のコツ』永松茂久／すばる舎

8 『上品な話し方　人をひきつけ自分を活かす』塩月弥栄子／光文社

9 『「言葉にできる」は武器になる。』梅田悟司／日本経済新聞出版

10 『「もっと話したい！」と思われる人の44のルール』吉原珠央／幻冬舎

11 『人を傷つける話し方、人に喜ばれる話し方』渋谷昌三／ワック

12 『仕事の「5力」』白潟敏朗／中経出版

13 『一番伝わる説明の順番』田中耕比古／フォレスト出版

14 『「できる人」の話し方＆コミュニケーション術』箱田忠昭／フォレスト出版

15 『TEDトーク 世界最高のプレゼン術』ジェレミー・ドノバン（著）、中西真雄美（訳）／新潮社

16 『弁論家について　上・下』キケロー（著）、大西英文（訳）／岩波書店

17 『スティーブ・ジョブズ 驚異のプレゼン　人々を惹きつける18の法則』カーマイン・ガロ（著）、井口耕二（訳）／日経BP

18 『超一流の雑談力』安田正／文響社

19 『伝える力2　もっと役立つ！「話す」「書く」「聞く」技術』池上彰／PHP研究所

20 『絶対内定2020　面接』杉村太郎　熊谷智宏／ダイヤモンド社

21 『話す力　自分の言葉を引き出す方法』D・カーネギー（著）、東条健一（訳）／新潮社

22 『「人たらし」のブラック心理術　初対面で100%好感を持たせる方法』内藤誼人／大和書房

23 『営業マンは「お願い」するな！』加賀田晃／サンマーク出版

24 『世界最高の話し方　1000人以上の社長・企業幹部の話し方を変えた！「伝説の家庭教師」が教える門外不出の50のルール』岡本純子／東洋経済新報社

25 『できる大人のモノの言い方大全』話題の達人倶楽部（編）／青春出版社

26 『人は「話し方」で9割変わる』福田健／経済界

27 『なぜ、この人と話をすると楽になるのか』吉田尚記／太田出版

28 『雑談力　ストーリーで人を楽しませる』百田尚樹／PHP研究所

29 『頭がいい人、悪い人の話し方』樋口裕一／PHP研究所

30 『話し方のマナーとコツ』杉山美奈子（監修）、伊藤美樹（絵）／学研

31『いい言葉は、いい人生をつくる』斎藤茂太／成美堂出版
32『マンガ版 ちょっとだけ・こっそり・素早く「言い返す」技術』ゆうきゆう（著）、Jam（マンガ）／三笠書房
33『99%の人がしていないたった１%の仕事のコツ』河野英太郎／ディスカヴァー・トゥエンティワン
34『男の子の本当に響く叱り方ほめ方　どうしたら言うことをちゃんと聞いてくれるの??』小﨑恭弘／すばる舎
35『神トーーク　「伝え方しだい」で人生は思い通り』星渉／KADOKAWA
36『話すチカラ』齋藤孝　安住紳一郎／ダイヤモンド社
37『誰とでも15分以上会話がとぎれない！　話し方66のルール』野口敏／すばる舎
38『聞く力　心をひらく35のヒント』阿川佐和子／文藝春秋
39『知の技法　東京大学教養学部「基礎演習」テキスト』小林康夫　船曳建夫（編）／東京大学出版会
40『今まで誰も教えてくれなかった人前で話す極意　年間330講演プロの講演家が語るスピーチのコツ』鴨頭嘉人／かも出版
41『伝え方の魔術　集める・見抜く・表現する』及川幸久／かんき出版
42『カーネギー話し方入門 文庫版』D・カーネギー（著）、市野安雄（訳）／創元社
43『「話のおもしろい人」の法則　話しベタでも人の心を“ワシづかみ”にできる48の話し方』野呂エイシロウ／アスコム
44『なぜあの人は人前で話すのがうまいのか』中谷彰宏／ダイヤモンド社
45『たった１日で声まで良くなる話し方の教科書』魚住りえ／東洋経済新報社
46『弁論術』アリストテレス（著）、戸塚七郎（訳）／岩波書店
47『コンサル一年目が学ぶこと』大石哲之／ディスカヴァー・トゥエンティワン
48『面接の達人　バイブル版』中谷彰宏／ダイヤモンド社
49『たった１分でできると思わせる話し方』樋口裕一／幻冬舎
50『プロカウンセラーの聞く技術』東山紘久／創元社
51『１分で大切なことを伝える技術』齋藤孝／PHP研究所
52『一瞬で大切なことを伝える技術　論理的な人になれる世界一シンプルな思考法』三谷宏治／かんき出版
53『頭のいい説明「すぐできる」コツ』鶴野充茂／三笠書房
54『和田裕美の人に好かれる話し方　愛されキャラで人生が変わる！』和田裕美／大和書房
55『アドラー流 たった１分で伝わる言い方』戸田久実（著）、岩井俊憲（監修）／かんき出版
56『叱られる力　聞く力２』阿川佐和子／文藝春秋
57『入社１年目ビジネスマナーの教科書　イラストでまるわかり！』金森たかこ（著）、西出ひろ子（監修）／プレジデント社
58『女性は「話し方」で９割変わる』福田健／経済界
59『世界のエリートはなぜ、「この基本」を大事にするのか？』戸塚隆将／朝日新聞出版

60 『学びを結果に変えるアウトプット大全』樺沢紫苑／サンクチュアリ出版
61 『賢く「言い返す」技術』片田珠美／三笠書房
62 『大人なら知っておきたいモノの言い方サクッとノート』櫻井弘（監修）／永岡書店
63 『儲かる会社のコミュニケーションの鉄則』小山昇／朝日新聞出版
64 『察しない男 説明しない女　男に通じる話し方 女に伝わる話し方』五百田達成／ディスカヴァー・トゥエンティワン
65 『伝え方が９割』佐々木圭一／ダイヤモンド社
66 『超雑談力　人づきあいがラクになる誰とでも信頼関係が築ける』五百田達成／ディスカヴァー・トゥエンティワン
67 『超一流の雑談力 超・実践編』安田正／文響社
68 『「分かりやすい説明」の技術　最強のプレゼンテーション15のルール』藤沢晃治／講談社
69 『雑談力が上がる話し方　30秒でうちとける会話のルール』齋藤孝／ダイヤモンド社
70 『交渉力　結果が変わる伝え方・考え方』橋下徹／PHP研究所
71 『言語化力　言葉にできれば人生は変わる』三浦崇宏／SBクリエイティブ
72 『語彙力がないまま社会人になってしまった人へ』山口謠司／ワニブックス
73 『人を10分ひきつける話す力』齋藤孝／大和書房
74 『わかりあえないことから　コミュニケーション能力とは何か』平田オリザ／講談社
75 『伝え方が９割 ２』佐々木圭一／ダイヤモンド社
76 『「育ちがいい人」だけが知っていること』諏内えみ／ダイヤモンド社
77 『オンラインでの「伝え方」ココが違います！』矢野香／すばる舎
78 『THE RHETORIC　人生の武器としての伝える技術』ジェイ・ハインリックス（著）、多賀谷正子（訳）／ポプラ社
79 『大人の語彙力ノート　誰からも「できる！」と思われる』齋藤孝／SBクリエイティブ
80 『日本の大和言葉を美しく話す　こころが通じる和の表現』高橋こうじ／東邦出版
81 『「いまの説明、わかりやすいね！」と言われるコツ』浅田すぐる／サンマーク出版
82 『わかりやすく〈伝える〉技術』池上彰／講談社
83 『ウケる技術』小林昌平　山本周嗣　水野敬也／新潮社
84 『発表がうまくなる　スピーチからプレゼンテーションまで』室木おすし（マンガ・イラスト）／旺文社
85 『自分でできる子に育つ ほめ方 叱り方　モンテッソーリ教育・レッジョ・エミリア教育を知り尽くした オックスフォード児童発達学博士が語る』島村華子／ディスカヴァー・トゥエンティワン
86 『あなたの話はなぜ「通じない」のか』山田ズーニー／筑摩書房
87 『議論に絶対負けない法』ゲーリー・スペンス（著）、松尾翼（訳）／三笠書房
88 『アンガーマネジメント １分で解決！ 怒らない伝え方』戸田久実／かんき出版
89 『アタマにくる一言へのとっさの対応術』バルバラ・ベルクハン（著）、瀬野文教（訳）／草思社

90 『子育てハッピーアドバイス 大好き！が伝わるほめ方・叱り方』明橋大二（著）、太田知子（イラスト）／1万年堂出版

91 『一瞬でYESを引き出す心理戦略。』DaiGo／ダイヤモンド社

92 『気持ちを「言葉にできる」魔法のノート 「言葉にできる」は武器になる。実践編』梅田悟司／日本経済新聞出版

93 『最強の働き方 世界中の上司に怒られ、凄すぎる部下・同僚に学んだ77の教訓 新人からベテランまですべての段階で差をつける』ムーギー・キム／東洋経済新報社

94 『質問力 話し上手はここがちがう』齋藤孝／筑摩書房

95 『コメント力 「できる人」はここがちがう』齋藤孝／筑摩書房

96 『対峙力 誰にでも堂々と振る舞えるコミュニケーション術』寺田有希／クロスメディア・パブリッシング

97 『凡人が最強営業マンに変わる魔法のセールストーク』佐藤昌弘／日本実業出版社

98 『コピーライターじゃなくても知っておきたい心をつかむ超言葉術』阿部広太郎／ダイヤモンド社

99 『話すチカラをつくる本』山田ズーニー／三笠書房

100 『頭がいい人、悪い人の〈言い訳〉術』樋口裕一／PHP研究所

101 『「対訳」オバマ演説集』オバマ（述）、『CNN English express』編集部（編）／朝日出版社

102 『子どもは「話し方」で9割変わる』福田健／経済界

103 『ロジカル・プレゼンテーション 自分の考えを効果的に伝える戦略コンサルタントの「提案の技術」』高田貴久／英治出版

104 『その話し方では軽すぎます！ エグゼクティブが鍛えている「人前で話す技法」』矢野香／すばる舎

謝辞

藤吉豊と小川真理子の共著、２冊目となる本書の制作にあたりまして、多くの方々のお力添えがありました。

記して、感謝申し上げます。

- 株式会社日経BP　宮本沙織さん（本書の担当編集者。類まれなるリーダーシップ、丁寧で迅速な仕事、そして大いなる思いやりを持ち、今回もかじ取りをしてくれました）
- クロロス　斎藤充さん（本書の中面デザインを担当。「読む気にさせるデザイン」ができる人、といえば、この人。藤吉と小川がもっとも信頼するデザイナー）
- krran　西垂水敦さん、松山千尋さん（カバーデザイン担当）
- 大《だい》叢《そう》山《ざん》福《ふく》厳《ごん》寺《じ》　大《たい》愚《ぐ》元勝《げんしょう》住職（株式会社文道の名付け親）
- 株式会社ナーランダ出版　廣《ひろ》瀬《せ》知《ち》哲《てつ》さん（文道に寄り添ってくださる良き理解者）
- ワイズアカデミー株式会社　永田雄三さん（文道の活動を応援してくださる富《ふ》女《じょ》子《し》会《かい》主宰者）
- 本書で取り上げた100冊の著者の方々
- この本を手に取ってくださった読者の方々

最後に、いつも支えになってくれている、藤吉と小川の家族に。

著者プロフィール

藤吉 豊（ふじよし・ゆたか）

株式会社文道、代表取締役。有志４名による編集ユニット「クロロス」のメンバー。日本映画ペンクラブ会員。
編集プロダクションにて、企業PR誌や一般誌、書籍の編集・ライティングに従事。
編集プロダクション退社後、出版社にて、自動車専門誌２誌の編集長を歴任。
2001年からフリーランスとなり、雑誌、PR誌の制作や、ビジネス書籍の企画・執筆・編集に携わる。文化人、経営者、アスリート、グラビアアイドルなど、インタビュー実績は2000人以上。
2006年以降は、ビジネス書籍の編集協力に注力し、200冊以上の書籍のライティングに関わる。大学生や社会人に対して、執筆指導なども行っている。
共著書に『「文章術のベストセラー100冊」のポイントを１冊にまとめてみた。』（日経BP）、単著書に『文章力が、最強の武器である。』（SBクリエイティブ）がある。

小川真理子（おがわ・まりこ）

株式会社文道、取締役。「クロロス」のメンバー。日本映画ペンクラブ会員。
日本女子大学文学部（現人間社会学部）教育学科卒業。編集プロダクションにて、雑誌や企業PR誌、書籍の編集・ライティングに従事。その後、フリーランスとして、大手広告代理店の関連会社にて企業のウェブサイトのコンテンツ制作に関わり、仕事の幅を広げる。
現在はビジネス書や実用書、企業をクライアントとするPR誌などの編集・執筆に携わる。子ども、市井の人、イケメン俳優、文化人など、インタビューの実績は数知れず。得意なジャンルは「生活」全般、自己啓発など。
共著書に『「文章術のベストセラー100冊」のポイントを１冊にまとめてみた。』（日経BP）、自ら企画編集執筆に携わった本に『親が倒れたときに読む本』（枻《えい》出版社）がある。近年は、ライティング講座にも力を注ぐ。

文道
https://bundo.net/

Facebook
https://www.facebook.com/BUNDO.inc

YouTube「文道TV」
https://www.youtube.com/channel/UC4Tp1uYoit3pHXipRp_78Ng

「話し方のベストセラー100冊」のポイントを1冊にまとめてみた。

2021年11月22日　第1版　第1刷発行
2022年1月17日　第1版　第4刷発行

著　者	藤吉 豊、小川真理子
発行者	村上広樹
発　行	日経BP
発　売	日経BPマーケティング 〒105-8308　東京都港区虎ノ門4-3-12 https://www.nikkeibp.co.jp/books/
装　丁	西垂水 敦・松山千尋（krran）
本文デザイン・制作	斎藤 充（クロロス）
編　集	宮本沙織
印刷・製本	中央精版印刷株式会社

ISBN978-4-296-00043-2 Printed in Japan